D0998729

JULES-PAUL TARDIVEL

DU MÊME AUTEUR

Jules-Paul Tardivel, la France et les Etats-Unis, 1851-1905. Québec, Les Presses de l'Université Laval, 1967

COLLECTION *CLASSIQUES CANADIENS*

JULES-PAUL TARDIVEL

Textes choisis et présentés

par

Pierre SAVARD

docteur ès lettres
professeur à la Faculté des Lettres
de l'Université Laval

Montréal et Paris

Le présent fascicule n'engage que la seule
responsabilité de l'auteur.

INTRODUCTION

L'œuvre de Jules-Paul Tardivel a connu le sort réservé à celle de la plupart des journalistes: célèbre du vivant de l'homme, elle est aujourd'hui bien oubliée. Certes, l'esthète en quête de sensations littéraires va avec raison puiser ailleurs que chez le directeur de la Vérité. De plus, Tardivel, défenseur d'une idéologie très conservatrice, attire fort peu les Québécois d'aujourd'hui.

Cependant, l'honnête homme qui cherche à se situer lucidement ne saurait ignorer ce grand porte-parole du Canada français traditionnel. Pendant une trentaine d'années, Tardivel a été lu avec passion, discuté, écouté et contredit. Comme il prit parti dans tous les grands problèmes de son temps, sa vie constitue un chapitre important de l'histoire de la pensée au Canada français. Directeur-propriétaire d'un journal d'idées pendant un quart de siècle, il représente un des noms célèbres du journalisme canadien-français.

Bien peu connu aujourd'hui, Tardivel l'était mal de ses contemporains. Il y a eu une légende tardivellienne à laquelle, il faut l'avouer, le journaliste n'a pas été le dernier à contribuer. Déjà de son vivant, c'est un être à part, un Cassandre ou un Alceste de la presse québécoise. Il sort peu, s'entoure d'un groupe restreint d'amis sûrs, fuit les hommes en vue, refuse énergiquement tout ce qui peut paraître une compromission. Ses *articles dépourvus de toute légèreté — l'ironie quand il s'y laisse entraîner est chez lui mordante et impitoyable — respirent le dogmatisme et se remplissent de condamnations sans appel. Redoutable dans la polémique, il ne lâche pas facilement l'adversaire qu'il écrase à coup de longues citations pontificales ou de références théologiques. A une époque où le genre sombre aisément dans la flagornerie ou les attaques contre les personnes, Tardivel fait beaucoup pour élever les débats au niveau des luttes d'idées. Trop, sans doute, puisqu'il abuse des abstractions importées d'Europe, tel le gallicanisme ou le libéralisme, étiquettes commodes et efficaces qui rendent ses adversaires plus épouvantables aux yeux du clergé et de l'élite conservatrice.*

Il n'est pas surprenant que l'homme ait soulevé de son vivant les passions les plus contradictoires et les plus vives. Pour les uns, Tardivel est l'oracle dont on attend les dires avec plus de respect souvent que la parole des chefs politiques et religieux. A leurs yeux, le directeur de la Vérité reste un des rares hommes intègres qui sachent se tenir debout devant les puissants du jour. Cette autorité s'étend volontiers au domaine religieux. Tardivel, admirablement conseillé par des théologiens conservateurs dont surtout le jésuite montréalais Joseph Grenier, se permet volontiers de faire la leçon aux prêtres, voire aux évêques et il a souvent raison aux yeux de ses fidèles. Pour les autres qui n'éprouvent aucune sympathie pour le journaliste québécois, Tardivel est un fanatique buté et rétrograde. Ils le dépeignent comme un atrabilaire invétéré et même comme un hypocrite qui exploite sans vergogne la naïveté des cléricaux.

Pour comprendre et apprécier l'œuvre de Tardivel, il faut rappeler ses origines. Né aux Etats-Unis d'une mère britannique et d'un père français de France, l'enfant a été élevé par deux tantes et un oncle curé dans les campagnes de l'Ohio. Ces protecteurs du jeune homme lui ont donné une excellente éducation et — tous trois étant des convertis au catholicisme — un vif attachement à la religion. Mais c'est dans la province de Québec, au séminaire de Saint-Hyacinthe, où son oncle l'envoie étudier à l'âge de dix-sept ans, que Tardivel a découvert sa vocation: la défense par la plume du catholicisme « intégral » et du Canada français. On ne saurait trop insister sur les quatre années que l'écolier passe au séminaire de Saint-Hyacinthe, cette forteresse du conservatisme politique et religieux. Des maîtres qu'il a eus à Saint-Hyacinthe, Tardivel gardera un souvenir durable et leurs idées le marqueront tout au long de sa carrière.

Peu après sa sortie du collège, le jeune homme désireux de marcher sur les pas de Louis Veuillot, alors au faîte de sa célébrité, entreprend une carrière de journaliste qui ne cessera qu'à sa mort, trente ans plus tard. Les premières années qu'il passe au Canadien *avec Israël Tarte, à ce moment farouche ultramontain, ne peuvent que l'ancrer dans ses convictions.*

Comme son modèle Veuillot, Tardivel se distingue avant tout par son attachement au catholicisme et plus particulièrement au catholicisme conservateur et intransigeant des années qui suivent le Syllabus *de Pie IX. Toute sa vie, Tardivel place les intérêts religieux en tête et il se distingue par son attachement au pape. Même ses adversaires les plus fielleux seront forcés d'admettre chez lui un effort constant de suivre les directives pontificales, en s'efforçant bien sûr de toujours les interpréter dans le sens le plus favorable à ses thèses. La* Semaine Religieuse de Québec *avec laquelle Tardivel a bruyamment ferraillé lui rend un hommage non équivoque à sa mort en écrivant: « Au sens propre du mot, M. Tardivel a été jusqu'ici notre seul journaliste catholique. »*

La qualité de laïc donne au directeur de la Vérité une certaine immunité dont il use beaucoup dans les questions religieuses. Mais en même temps, il consolide par son exemple la tradition de la presse catholique et laïque au Canada français. L'Action Sociale de Québec, le Droit d'Ottawa, le Devoir de Montréal ont continué l'œuvre de Tardivel.

A son grand attachement à l'Eglise catholique, Tardivel joint de façon indissoluble un amour profond pour le Canada français. Cet homme, né aux Etats-Unis, de parents européens, qui met les pieds pour la première fois dans la vallée du Saint-Laurent à l'âge de dix-sept ans, comprend plus que bien des Canadiens français les aspirations et les intérêts de leur groupe. Pendant toute sa carrière, il va lutter sans trêve pour assurer les droits de ses compatriotes d'adoption. Son dernier article dicté sur son lit de mort constitue un plaidoyer en faveur des Canadiens français de l'Ouest. Lors de l'affaire Riel, comme au moment de la guerre des Boers, il se tient au premier rang de ceux qui défendent les intérêts canadiens-français. Il en vient même à encourager la fondation d'un parti groupant tous les Canadiens français du pays pour assurer le respect de leurs droits et enrayer leur funeste division aggravée par l'esprit de parti. Dans les années 90, il commence à douter de la solidité de la Confédération et il finit par croire qu'inévitablement le Canada français est appelé à former à longue échéance un Etat indépendant.

Tous les combats de Tardivel s'articulent autour de ces deux idées maîtresses: la défense de l'Eglise et du Canada français. Son amour de la langue française *et le travail considérable qu'il s'impose pour préserver la langue de ses compatriotes, ses appels répétés en faveur de la colonisation et ses mises en garde contre l'émigration massive des Québécois, la lutte vigoureuse qu'il mène contre la franc-maçonnerie, ses interventions dans les domaines économique et social et combien d'autres initiatives, tout chez ce journaliste essentiellement engagé tend aux mêmes buts.*

On peut se demander si Tardivel mérite une place au nombre des « Classiques canadiens ». Son style est celui d'un homme qui n'a jamais maîtrisé parfaitement la langue française. Sa pensée conservatrice nous apparaît aujourd'hui le plus souvent banale, sinon terriblement dépassée. Bien de ses combats se révèlent futiles. Mais il convient de relire Tardivel. Au-delà du destin attachant d'un homme qui a si bien compris et aimé son pays d'adoption, on retrouve dans ces pages l'essentiel de l'idéologie dont a vécu le Canada français pendant un siècle. A un moment où le Québec refuse de voir dans le passé son seul « maître », il lui importe plus que jamais de savoir ce dont il peut se délester et de se rendre compte de ce qu'il ne peut abandonner sans renoncer à son identité.

BIOBIBLIOGRAPHIE

1851 Naissance à Covington (Kentucky) le 2 septembre, de Julius, fils de Claudius Tardeville, originaire d'Auvergne (France) et d'Isabella Brent, originaire de Cantorbéry (Angleterre). Enfance à Danville et à Mount Vernon (Ohio).

1868-72 Etudes classiques au séminaire de Saint-Hyacinthe. Voyage aux Etats-Unis, puis retour définitif au Canada.

1873 Premier article dans la livraison du 29 janvier du *Courrier de St-Hyacinthe*: « Le Pape suivant les idées protestantes ». Passage à la *Minerve* en septembre.

1874 Mariage avec Henriette Brunelle le 5 février. En juillet, entrée au *Canadien*, sous la direction d'Israël Tarte.

1878 *Vie du Pape Pie IX. Ses œuvres et ses douleurs*, Québec, Duquet (deux éditions la même année).

1880 *L'Anglicisme, voilà l'ennemi !* Québec, *Le Canadien*.

1881 Fondation de la *Vérité* (numéro-programme le 14 juillet), dont il sera le directeur-propriétaire jusqu'à sa mort en 1905.

1887 Premier volume des *Mélanges ou recueils d'études religieuses, sociales, politiques et littéraires*, Québec, *La Vérité*.

1888 Voyage en Europe (septembre 1888 à avril 1889).

1890 *Notes de voyage en France, Italie, Espagne, Irlande, Angleterre, Belgique et Hollande*, Montréal, Sénécal.

1895 *Pour la Patrie. Roman du XXe siècle*, Montréal, Cadieux et Derome.

1896 Tardivel préside une section du Congrès anti-maçonnique de Trente.

1897 19 avril. Assiste à la conférence de Léo Taxil à la Salle de la Société de Géographie de Paris où Taxil avoue avoir mystifié les catholiques pendant quatre ans par de prétendues révélations maçonniques.

1900   *La Situation religieuse aux Etats-Unis. Illusions et réalité*, Montréal, Cadieux et Derome.

1901   Deuxième tome des *Mélanges (...)*. Conférences de Tardivel puis publication de *La Langue française au Canada*, Montréal, Publication de la Compagnie de la *Revue Canadienne*. Juin à septembre, quatrième voyage en Europe.

1903   *La Vérité* est suspendue pour six mois et Tardivel mis « au repos absolu ». Troisième tome des *Mélanges (...)*.

1905   Mort à Québec, le 24 avril.

Outre les œuvres précitées, Tardivel a écrit des articles dans *le Courrier de Saint-Hyacinthe* de 1873 et 1874, dans *la Minerve* de 1873 et 1874, dans *le Canadien* de 1874 à 1881. Mais son œuvre principale consiste dans la rédaction de la plus grande partie de son hebdomadaire, *La Vérité*, de 1881 à 1905. Le journaliste a aussi collaboré à la *Revue canadienne* de Montréal, au *Freeman's Journal* de New-York, à l'*Univers* de Paris et à la *Civiltà Cattolica* de Rome. Plusieurs de ses articles ont été reproduits dans des périodiques canadiens et étrangers. (Se reporter à ce sujet à notre étude *Jules-Paul Tardivel, la France et les Etats-Unis, 1851-1905*, Québec, Les Presses de l'Université Laval, 1967. XXXVIII-497p.)

Il existe une biobibliographie de Tardivel préparée par Georgette Jarry, *Notes biobibliographiques sur Monsieur Jules-Paul Tardivel, fondateur du journal « La Vérité » à Québec* (mémoire dactylographié, présenté pour le diplôme de bibliothéconomie, à Montréal, en 1951). Utile mais incomplète.

L'étude d'ensemble la plus considérable reste la biographie dithyrambique et partiale de Mgr Justin Fèvre, un ami du journaliste canadien, parue un an après la mort de Tardivel: *Vie et travaux de J.-P. Tardivel, fondateur du journal « La Vérité », à Québec* (Paris, 1906). La partie biographique du travail de Jarry cité plus haut rapporte quelques traditions orales mais manque de sens critique. M. Séraphin Marion a donné une communication sur « Jules-Paul Tardivel, pionnier de la presse indépendante et catholique du Canada français » (reproduite dans le *Rapport de 1954-55 de la Société canadienne d'histoire de l'Eglise catholique*. La préface du troisième tome des *Mélanges* constitue une abondante et précieuse biographie de Tardivel rédigée par le journaliste et par son ami intime, le jésuite Joseph Grenier.

Nous avons quelques études traitant des aspects particuliers de Tardivel. Mathieu Girard a analysé la pensée de Tardivel face aux problèmes politiques et particulièrement le séparatisme dans une thèse de maîtrise inédite: « Jules-Paul Tardivel, rédacteur en chef et propriétaire de *la Vérité* », et le premier de trois articles intitulés: « La pensée politique de Jules-Paul Tardivel », dans la *Revue d'Histoire de l'Amérique française*, XXI, 3 (décembre 1967): 397-428. John Hare a apporté des lumières sur le sens du roman de Tardivel dans « Nationalism in French Canada and Tardivel's Novel *Pour la Patrie* », dans *Culture*, XIII (1961): 403-412. Sur le caractère du journaliste, l'auteur de ces lignes a présenté une communication: « Jules-Paul Tardivel, un ultramontain devant les problèmes et les hommes de son temps », reproduite dans le *Rapport 1963* de l'assemblée annuelle de la Société historique du Canada.

Pour une bibliographie plus complète des œuvres manuscrites et imprimées de Tardivel ainsi que des études sur sa vie et son œuvre, on se rapportera à notre livre cité plus haut.

JOURNALISME CATHOLIQUE

Le rôle des laïques dans la presse catholique [1]

Tardivel fonde en juillet 1881, son propre journal dont il sera le directeur-propriétaire jusqu'à sa mort en 1905. Dans les premières livraisons il explicite son programme et sa conception du journalisme catholique. La nécessité d'une presse spécifiquement catholique et non d'étiquette seulement, et le droit des laïques d'animer une telle presse constituent deux questions fort controversées à son époque.

Plusieurs personnes, parfaitement sincères et bien intentionnées, voient d'un très mauvais œil la presse catholique et les luttes qu'elle est obligée de soutenir pour la défense des saines doctrines et pour repousser les attaques plus ou moins perfides et déguisées des ennemis de l'Eglise. Ces personnes affirment que ce n'est pas aux laïques à intervenir dans les questions où la religion est intéressée, que le clergé doit seul défendre l'Eglise, et que les journalistes ne devraient s'occuper que des affaires purement matérielles, ne devraient traiter, dans leurs colonnes, que des questions de finance, de voies ferrées, de canaux, d'agriculture, etc.

---

1. *La Vérité*, 20 octobre 1881 (reproduit dans *Mélanges*, I: pp. 113-114.)

Cette objection est spécieuse, nous en convenons, et comme nous l'entendons souvent formuler, il est à propos, croyons-nous, de la réfuter.

D'abord, il y a presse catholique et presse catholique, comme il y a fagot et fagot. Il peut y avoir des journaux qui se disent catholiques et qui ne le soient pas du tout; qui ne défendent l'Eglise que pour l'exploiter à leur profit personnel ou au profit de leurs amis. De tels journaux seraient fort nuisibles à la cause de la religion.

Mais les journalistes vraiment catholiques, qui travaillent sans arrière-pensée pour la cause de Dieu, qui n'ont d'autre ambition que d'étendre le règne de Jésus-Christ, font une œuvre méritoire.

S'il n'y avait pas de mauvaise presse, s'il n'y avait pas de journaux qui combattent les doctrines de l'Eglise, qui cherchent à émousser la foi, qui donnent une importance excessive aux affaires matérielles, qui jettent la confusion et le doute dans les esprits, il n'y aurait peut-être pas besoin de la presse catholique, car la prédication du clergé suffirait pour la direction des fidèles. Mais étant donné les journaux imbus d'erreur et de fausses doctrines, qui répandent chaque jour le poison subtil des idées dites modernes lesquelles sont aussi vieilles que le paganisme; étant donné les feuilles qui prêchent sans cesse l'affranchissement de l'Etat des lois de Dieu, qui proclament ouvertement que l'Eglise n'a absolument rien à voir dans le gouvernement des peuples, que le pouvoir civil est au-dessus du pouvoir religieux, que l'électeur, le député et le· ministre ne doivent, comme tels, aucun compte de leur conduite au Tout-Puissant; étant donné cette presse perverse, il faut de toute nécessité une presse franchement et hardiment catholique, qui affirme avec courage et constance les principes chrétiens, en dehors desquels les sociétés ne peuvent trouver ni sécurité, ni paix, ni bonheur, ni même une prospérité matérielle vraiment durable.

Mais encore, dira-t-on, il faut que cette presse catholique soit entre les mains du clergé, car les laïques n'ont pas la mission de conduire l'Eglise.

Sans doute, le clergé a le droit d'écrire dans les journaux, et nous serions les derniers à le lui contester. Mais il arrive souvent que dans les luttes quotidiennes de la presse, ceux qui y prennent part reçoivent de terribles horions, se voient attaquer de la manière la plus déloyale. Un prêtre, qui a charge d'âmes surtout, ne voudrait pas toujours s'exposer aux calomnies des ennemis de l'Eglise, de crainte de compromettre son ministère. Mais un laïque peut se mettre au blanc sans inconvénient; il recevra de rudes coups, mais l'Eglise, mais le clergé n'en seront pas atteints. C'est pourquoi le rôle de journaliste catholique convient surtout au laïque. Certes, le laïque ne doit pas trop se fier à ses propres lumières; il doit étudier beaucoup, il doit surtout consulter souvent des théologiens dont la doctrine est sûre et qui puissent lui indiquer clairement où est le vrai et où est le faux. Ainsi éclairé, le journaliste laïque ne doit pas craindre de marcher résolument en avant sans s'inquiéter des clameurs qui s'élèvent contre lui de toutes parts.

Le journaliste vénal [2]

Le directeur de la *Vérité* qui rédige et soutient son journal pendant presque un quart de siècle sans aucun appui politique, allant jusqu'à faire dis-

---

2. *Pour la Patrie*, 117-119, 124-127.

paraître les annonces, n'éprouve aucune sympathie pour ses confrères à la solde des partis ou des groupes d'intérêts. *Pour la Patrie* est un roman à clefs et Hercule Saint-Simon rappelle par plusieurs traits Israël Tarte auquel Tardivel n'a jamais pardonné sa désertion des rangs ultramontains. On retrouve ici l'austère conception du journalisme catholique que le directeur de la *Vérité* vécut intégralement.

Homme d'un talent réel, mais peu sympathique, le rédacteur du *Progrès* avait dans le regard quelque chose de faux et de froid qui faisait éprouver un étrange malaise à tous ceux qui venaient en contact avec lui. Doué d'une certaine allure énergique, violente même, il passait aux yeux de ceux qui ne voient que la surface des choses, pour un homme fortement trempé, pour un caractère. Avant l'époque où commence notre récit, il s'était jeté avec une grande ardeur dans le mouvement séparatiste, à la suite de Lamirande et de Leverdier. Mais tout en les proclamant ses chefs, tout en arborant leur drapeau, il ne voulait pas toujours suivre leurs conseils, ni adopter leur langage ferme et modéré, leurs procédés marqués au coin de la sagesse. Depuis un mois surtout il semblait s'être fait casseur de vitres de profession.

Sans doute, il faut parfois casser les vitres, en réalité, comme au figuré. Un homme est renfermé dans une chambre où l'air respirable manque complètement. La porte est fermée à clé, barricadée; toutes les issues sont hermétiquement closes. L'homme étouffe. Déjà il est sans connaissance. Que faire ? Vous cassez une vitre. L'homme respire, il est sauvé. Dans le monde moral, il y a des situations analogues où il est nécessaire de casser les vitres. C'est le seul moyen qui reste de faire circuler un peu d'air pur dans les prisons où la routine et les préjugés ont renfermé et asphyxient leurs victimes. Mais M. Saint-Simon ne faisait guère plus autre chose que casser les vitres. Il en cassait partout, toujours et à propos de rien. Le bruit des vitres cassées avait attiré sur lui tous les regards sans toutefois lui gagner les cœurs (...).

Hercule Saint-Simon s'était lancé dans le journalisme sans préparation morale, sans avoir assez purifié ses intentions. Il voulait faire le bien au moyen de son journal; mais tout en faisant le bien, il comptait arriver en même temps à l'aisance d'abord, puis à la richesse. Le pain quotidien, c'est-à-dire le nécessaire pour un homme de sa position sociale, n'était pas assez: il lui fallait les douceurs de la vie. Et comme le journalisme vraiment catholique est plus fécond en déceptions et en déboires qu'en succès financiers, il s'aigrissait et s'irritait de plus en plus. Voyant qu'il n'avait pas l'abnégation voulue pour continuer son œuvre, ingrate au point de vue mondain, il aurait dû l'abandonner et chercher ailleurs, par des moyens légitimes, les biens terrestres qu'il convoitait. Mais il aimait le journalisme à cause du prestige et de l'influence que cette profession confère à celui qui l'exerce avec talent. Le bruit des polémiques le grisait, les discussions auxquelles on se livrait autour de son nom flattaient sa vanité. Rester journaliste honnête, même journaliste catholique, tout en devenant riche, tel était d'abord son rêve.

Il commença par faire des réclames, moyennant finance, en faveur de certaines entreprises commerciales et industrielles. Comme ces entreprises étaient honorables, il pouvait, à la rigueur, se dire qu'il recevait le prix d'un travail légitime; mais ses besoins factices augmentant toujours et ce genre d'affaires lui paraissant bientôt restreint, il agrandit le cadre de ses opérations. Lorsque les promoteurs de grandes entreprises ne venaient pas à lui, il allait à eux, et leur donnait habilement à entendre que le moyen le plus sûr de ne pas trouver en lui un adversaire acharné, c'était de payer grassement son concours. Puis, glissant toujours sur la pente, il mit sa plume au service d'affaires douteuses, interlopes, enfin absolument mauvaises.

Pourtant la richesse n'arrivait pas encore assez vite. Son caractère de journaliste catholique, qu'il conserva toujours, apparemment, le gênait. Aux temps agités où commence notre récit, il entrevit la possibilité de faire fortune d'un seul coup. Mais pour atteindre ce but, il lui faudrait abandonner ses nationaux dans leurs luttes patriotiques, se livrer aux ennemis de sa race, favoriser leurs menées ténébreuses, trahir, en un mot, la cause sacrée de la patrie et de la religion. Le malheureux se cramponnait à cette idée qui lui revenait sans cesse: je n'irai pas jusqu'au bout, et quand je serai riche, indépendant de tout le monde, je pourrai facilement, et en peu de temps, réparer le mal que j'aurai fait.

Il en était là, lorsque nous l'avons entendu émettre ses sophismes sur la puissance de l'or et la nécessité de la richesse pour accomplir le bien dans le monde politique. A l'époque de sa conversation avec Lamirande était-il déjà perdu ? Depuis longtemps il était tenté, affreusement tenté par le démon qui fit tomber un des Douze. Toutefois, comme nul n'est jamais éprouvé au-dessus de ses forces, il aurait pu résister à ce redoutable assaut, s'il eût suivi le sage conseil de son véritable ami: une courte et fervente prière, un seul cri de détresse vers le Cœur de Jésus, et il était sauvé.

Lorsque les disciples allaient être engloutis par les vagues, ce fut une prière de quatre mots qui écarta le danger: *Domine, salva nos, perimus !*

Mais un mouvement d'orgueil étouffa ce cri qui montait déjà à ses lèvres. C'était une dernière grâce qu'il repoussait.

Louis Veuillot [3]

> Le caractère du directeur de la *Vérité* offre bien des traits communs avec celui du rédacteur de l'*Univers*: intransigeance farouche, conservatisme social et politique, indépendance à l'égard des partis, attachement au Saint-Siège, grande délicatesse d'âme (révélée par leurs correspondances)... L'influence de Veuillot au Canada français a été immense. Tardivel peut sans doute être considéré comme son disciple le plus fidèle.

Une des plus grandes figures des temps modernes vient de disparaître; le plus puissant écrivain de ce siècle, le père du journalisme catholique n'est plus; Louis Veuillot est mort !

Que sa belle et grande âme qui a tant lutté, qui a tant souffert ici-bas, goûte là-haut les ineffables jouissances du repos éternel !

Lecteurs de la *Vérité*, priez pour l'âme de Louis Veuillot. Demandez à Jésus de ne point tenir compte des faiblesses humaines auxquelles son grand serviteur n'a peut-être pas échappé mais de lui accorder sans délai la récompense promise à ceux qui soutiennent le bon combat jusqu'à la fin.

Dans ce siècle pervers et lâche, Louis Veuillot n'a jamais rougi de Jésus-Christ devant les hommes. Confesser Jésus-Christ, ça été le trait caractéristique de sa

---

3. *La Vérité*, 14 avril 1883 (reproduit dans *Mélanges*, 2: 356-363).

vie. Nous avons donc l'assurance que Jésus ne rougira pas de lui devant son Père.

Comment parler de cet homme de bien dans un court article de journal écrit à la hâte ? Comment, dans quelques lignes, rendre justice à ce talent transcendant, à ce grand héros catholique, à ce vaillant champion de l'Église ? La tâche est au-dessus de nos forces. Cependant, il nous est impossible de laisser passer cette circonstance sans essayer de rendre un faible témoignage à la mémoire de ce courageux soldat du Christ.

Nous dirons peu de choses de sa vie; nous voulons surtout parler de ses œuvres. Pourtant, sa vie a été un bel enseignement. Né de parents pauvres, dans une obscure campagne de France, obligé de s'instruire tout seul, pour ainsi dire, il a rempli le monde entier de son nom. Pendant trente ans, il a été parmi les laïques, la figure la plus en évidence de l'Europe. Et c'est par la force de son génie, par la puissance de sa voix, par la fermeté inébranlable de ses convictions qu'il attirait les regards de tous ses contemporains. Il n'avait à sa disposition ni la fortune, ni le pouvoir, ni la réclame complaisante; il a brillé par le seul éclat de l'immense talent dont Dieu l'avait doué et par le saint usage qu'il a toujours fait des belles facultés qu'il avait reçues du ciel.

Louis Veuillot naquit à Boynes, en 1813. Son père était un simple ouvrier qui ne put donner à ses enfants qu'une instruction fort élémentaire. Par malheur, le jeune Veuillot n'était pas chrétien. Cependant, bien que plus tard, dans son humilité, il ait flétri sévèrement cette partie de sa vie, on ne voit pas qu'il soit tombé dans la fange du vice. Il était à cette époque plus ignorant que méchant, plutôt étourdi que pervers. De 1832 à 1836 il rédigea plusieurs journaux politiques de province avec un grand talent et une extrême vigueur. En 1838, il fit un voyage à Rome où les imposantes cérémonies de la Semaine sainte l'impressionnèrent profondément. Il revint en France sincèrement converti. C'était un homme nouveau. Et depuis cette époque jusqu'à sa mort il est resté fervent catholique. Au milieu des terribles luttes de sa longue carrière, il a su conserver une douce piété, une tendre dévotion que l'ardeur des combats n'a jamais pu altérer.

De 1838 à 1843, il écrivit plusieurs ouvrages remarquables, entre autres: *Les pèlerinages de Suisse*. Il accompagna le maréchal Bugeaud en Afrique, en qualité de secrétaire. Pendant son séjour dans ce pays, il composa son ouvrage intitulé: *Les Français en Algérie*. Revenu de l'Algérie, il fut nommé à un emploi au ministère de l'Intérieur, mais il quitta bientôt ce poste pour entrer à la rédaction de l'*Univers* dont il devint le rédacteur le plus marquant dès 1843. C'est de là que date sa véritable carrière.

Louis Veuillot a créé le journalisme catholique. Joseph de Maistre, au commencement du siècle, avait porté de terribles coups à l'impiété voltairienne dans le domaine de la philosophie. Louis Veuillot a été le continuateur de l'œuvre de l'immortel auteur des *Soirées de Saint-Pétersbourg*. Il a pour ainsi dire vulgarisé l'enseignement de De Maistre. Il a porté la guerre partout, dans la politique, dans les sciences, dans les lettres. Il a brisé à coups de hache les barrières et les obstacles élevés par le paganisme moderne pour empêcher la doctrine de Jésus-Christ de circuler librement parmi toutes les classes de la société.

Il a lutté corps à corps avec les ennemis de l'Eglise, les terrassant toujours. On lui a reproché de porter des coups trop rudes, mais quand on étudie le caractère des luttes auxquelles il a été mêlé, quand on se rend bien compte du genre d'adversaires contre lesquels il avait à combattre, il faut reconnaître que ce reproche n'est point fondé. On parle aussi beaucoup de ses discussions avec certains membres de l'épiscopat français et on le représente comme un homme qui cherchait sans cesse à se mettre à la place des évêques. C'est une pure calomnie qu'on répète de confiance, car il est impossible qu'un homme de bonne foi puisse lire les ouvrages de Veuillot sans admettre que jamais l'autorité épiscopale n'a eu un plus courageux défenseur que le rédacteur en chef de l'*Univers*.

On a grandement exagéré ses démêlés avec l'épiscopat. Il est vrai qu'il est venu en conflit avec certains évêques, mais ce n'était pas là le trait saillant de ses luttes, comme on a voulu le donner à entendre. C'était simplement des incidents que Louis Veuillot regrettait plus sincèrement que ceux qui formulent contre lui ce reproche. La preuve que le rédacteur de l'*Univers* n'a jamais méconnu l'autorité épiscopale, c'est qu'il a reçu de Pie IX et de la grande majorité de l'épiscopat français les plus magnifiques éloges, les plus chaleureux encouragements. Pour nous, cela nous démontre que son œuvre était bonne et opportune. Sans doute, elle n'a pas été exempte de toute imperfection; quelle est l'œuvre humaine qui soit sans tache ? Mais l'histoire impartiale dira que Louis Veuillot a rendu des services immenses à l'Eglise.

On se plaît ordinairement à ne considérer en Veuillot que le polémiste ardent, le journaliste militant, l'apologiste plein de feu. Sans doute, il a été grand dans son rôle de soldat, mais ses goûts le portaient ailleurs. On s'imagine généralement qu'il était agressif de sa nature, qu'il se battait pour le plaisir de se battre. Rien de plus inexact. Par tempérament, il était porté à la douceur. Au milieu de la bataille, il a écrit des pages d'une suavité angélique. *Çà et là, Historiettes et fantaisies, Corbin et d'Aubecourt* sont des œuvres qui respirent la poésie la plus pure, une tendresse, une douceur, une sérénité qui vont droit au cœur. Dans la préface de ce dernier ouvrage, Veuillot nous fait la confidence suivante:

> Si j'ai soutenu tant de polémiques, dit-il, ce fut bien par ma volonté, mais mon goût me portait ailleurs. J'ai été journaliste comme le laboureur est soldat uniquement parce que l'invasion l'empêche de rester à cultiver ses champs. Je ne tenais ni à recevoir ni à porter des coups, et les joies de ma carrière ne sont pas d'avoir été mis à l'ordre du jour pour quelque fait d'armes plus ou moins heureux, mais d'avoir vu parfois une pauvre petite fleur éclore dans mon courtil délaissé.

C'était, en effet, l'invasion de l'impiété qui forçait Veuillot à quitter les œuvres purement littéraires, qui lui auraient donné la fortune et la gloire, et à se jeter dans la lutte. Il ne pouvait endurer la vue des railleurs de la libre-pensée qui insultaient l'Eglise, la papauté, le clergé, tout ce qui lui était cher. Pendant la suppression de l'*Univers* il écrivit, dans les *Odeurs de Paris,* ce message qui peint bien le sentiment qui le poussait à combattre:

> J'évite la lecture du *Siècle,* compère Louis Jourdan. Vous êtes là un chœur de cacographes qui n'avez plus rien à me montrer, et qui me donneriez trop la tentation d'écrire.
>
> Je n'écris point quand je veux, compère ! Il me faut ou beaucoup de papier, ou un peu de timbre, et passer par bien des tourniquets redoutés... Qu'il s'agisse de politique, de religion, d'économie sociale, ou seulement de repousser les attaques de l'histrionnerie, la moindre chose que je veuille dire m'oblige

de demander au lecteur 75 centimes tout au moins. Vous autres, heureux cacographes, vous êtes libres comme la Belle-Hélène. Vous tenez tous les propos, vous faites tous les gestes, vous dansez toutes les danses...

Prissé-je le parti insensé de faire chaque semaine une brochure à 75 centimes, il y a des lois qui me protégeraient contre ma folie. *Périodicité déguisée,* délit prévu par quantité d'articles munis de crocs, de pinces et de courroies: amende, prison, confiscation. Vous le savez, homme juste.

Vous comprenez donc que la lecture des journaux me ferait davantage sentir, sans nul profit, le bâillon que je porte depuis six ans. Votre *Siècle* aimant surtout à s'occuper de l'Eglise, je m'écarte du *Siècle* surtout. Imaginez un prisonnier qui ne pourrait regarder à travers ses barreaux sans voir une certaine livrée outrager sa mère... Ah ! cacographes, si j'ai parfois, quand j'étais libre, troublé vos délices, vous êtes vengés. »

L'histoire de l'*Univers* depuis 1843 c'est l'histoire des luttes pour la liberté religieuse en France et pour les droits de l'Eglise dans toute l'Europe. Les dix-huit volumes de *Mélanges*, composés des meilleurs articles de Louis Veuillot, forment un véritable arsenal où l'on trouve toutes les armes nécessaires à la défense de la vérité et de la justice.

Sous Louis-Philippe, de 1843 à 1848, Veuillot, avec Montalembert qui marchait alors sous le drapeau de l'*Univers*, et plusieurs autres catholiques, livra un combat acharné au monopole de l'enseignement. Cette campagne fut couronnée d'un succès partiel sous la république de 48.

En 1852, eut lieu la grande discussion à propos des auteurs païens dans les écoles. Veuillot prit fait et cause pour Mgr Gaume et l'enseignement chrétien.

Vers ce temps le rédacteur de l'*Univers* eut une vive polémique avec l'abbé Gaduel au sujet de Donoso Cortès, grand ami de Veuillot. En cette circonstance, Mgr Sibour, archevêque de Paris, censura l'*Univers*. Mais Veuillot en appela à Rome où il eut gain de cause. C'est pour clore cet incident que Pie IX écrivit sa célèbre encyclique *Inter multiplices*, dans laquelle il recommande les journalistes catholiques à la bienveillance des évêques. L'archevêque de Paris leva aussitôt les censures portées contre l'*Univers*.

Plus tard, en 1856, l'abbé Cognat, dans un libelle intitulé: l'*Univers jugé par lui-même*, et l'abbé Sisson, dans le journal l'*Ami de la religion*, firent une guerre des plus déloyales contre Veuillot. Ce fut à cette occasion que le grand écrivain reçut de près de 40 évêques français et d'un grand nombre d'évêques étrangers un magnifique témoignage d'estime.

Puis vint la question italienne. Louis Veuillot soutint avec une vigueur remarquable les droits du Saint-Siège, et s'attira par là les colères de l'empereur Napoléon III. Le 28 janvier 1860, le rédacteur en chef de l'*Univers* reçut la lettre encyclique, *Nullis certe verbis*, condamnant les derniers attentats contre le Saint-Siège. Louis Veuillot porta cette lettre du Pape à ses collaborateurs en leur disant: « Voici l'arrêt de mort; le journal ne vivra plus demain ». La lettre fut publiée et l'*Univers* fut supprimé. Cette fin glorieuse est la meilleure réponse aux ennemis de Louis Veuillot qui l'accusent d'avoir flatté l'empire. N'étant pas homme de parti, il a soutenu l'empire tant que ce régime lui a paru favorable à l'Eglise. Mais aussitôt que l'empereur eut prévariqué nul ne l'a combattu aussi courageusement que lui.

En 1867, l'*Univers* fut rétabli. Pendant le Concile, Louis Veuillot soutint une lutte restée mémorable en

faveur de l'infaillibilité. Durant la guerre franco-prus-
sienne et le siège de Paris, il écrivit des articles d'une
vigueur incroyable. Il se rallia à la cause du comte
de Chambord qu'il considérait comme le seul homme
capable de sauver la France.

A part ses articles de polémique, Louis Veuillot
a composé un grand nombre de livres, dont les plus
remarquables sont: *Les Odeurs de Paris, Le parfum de
Rome, Çà et là, L'honnête femme, Le droit du Seigneur, La Vie de Notre-Seigneur, Le lendemain de
la Victoire, Rome et Lorette, Les libre-penseurs,* etc.

Depuis plusieurs années, miné par une cruelle maladie, il n'écrivait plus. Il est mort samedi dernier, le
7 avril, à l'âge de 70 ans.

Sa vie et ses œuvres sont un exemple de courage,
de constance, de dévouement dans la lutte pour le
droit, la vérité et la justice.

LE GRAND JEU
DE LA POLITIQUE

L'esprit de parti [1]

On a peine à imaginer aujourd'hui la puissance de
l'esprit de parti au XIXe siècle. Tardivel a toujours, pour sa part, refusé les faveurs des partis
et apparaît un des rares esprits dégagés de ces
servitudes. Il n'a pas manqué de dénoncer, sa vie
durant, ce vice de notre système politique qui,
à ses yeux, empêche les Canadiens français de
faire front commun.

Nous avons parlé de la vénalité et de la corruption, deux plaies qui rongent notre société.

Il y a une troisième plaie, non moins hideuse et
plus étendue encore que les deux premières, qui
nous affaiblit chaque jour davantage, qui épuise nos
forces, qui nous conduit rapidement à la décadence
nationale: c'est l'esprit de parti. Disons-en un mot.

L'esprit de parti est un aveuglement de l'intelli-
gence qui nous fait juger les événements, non d'après
les principes éternels du droit, de la justice et de la
vérité, mais selon les intérêts de tel ou tel homme
politique, de tel ou tel groupe parlementaire.

---

1. *La Vérité*, 20 février 1886.

Celui qui est affligé de ce mal cruel parlera sensément de tout ce qui ne touche pas à son *parti*; il jugera sainement les affaires d'Europe, des Etats-Unis, de l'Afrique, de l'Asie; sur les questions abstraites, sur les questions d'histoire, de littérature, de finance, de commerce, d'industrie, d'agriculture et de colonisation il émettra des opinions raisonnées et raisonnables; mais du moment qu'il touche à la *politique de parti*, il perd la tête, il parle et agit comme un véritable aliéné. L'esprit de parti est une aliénation mentale, une monomanie bien caractérisée.

Le partisan dira que le blanc est noir et que le noir est blanc dix fois par jour sans se douter seulement des lamentables contradictions dans lesquelles il tombe.

Il blâme chez le parti opposé ce qu'il approuve ou pardonne chez les siens.

La corruption électorale exercée par les autres est un crime impardonnable; pratiquée par *son* parti, c'est de l'*organisation*, c'est une *louable et patriotique ardeur dans la lutte*.

Si les chefs *bleus* achètent un journaliste *rouge* ou un député *rouge*, tous les *bleus* admireront l'habileté de leurs chefs et s'élèveront avec des transports de rage contre la vénalité de leurs adversaires.

De leur côté, les *rouges* parleront peu de la vénalité des leurs; cette vénalité ne les empêchera pas d'avoir confiance dans les hommes que les *bleus* ont corrompus. Mais ils répandront les flots de leur indignation contre les *bleus* corrupteurs.

Bleus et *rouges*, aveuglés par l'esprit de parti, ne voient que le mal qui se produit chez leurs adversaires; leurs propres turpitudes leur paraissant comme des vertus.

Les *bleus* s'allient aux orangistes, les défendent, refusent de voir en eux des ennemis de l'ordre social, et ils se voilent la figure, crient au scandale quand les *rouges* chantent la *Marseillaise* !

Les *rouges* reprochent aux *bleus* leur alliance avec les orangistes et ils ont pour coryphées des francs-maçons notoires et des apostats !

Comédie et hypocrisie sur toute la ligne !

Les *bleus* font un crime à M. Blake d'avoir offert $5,000 pour l'arrestation de Riel, il y a quinze ans; jamais, disent-ils, on ne pourra tolérer cet homme au pouvoir à cause de cette offre inique: et en même temps ils acclament comme leur chef inviolable Sir John Macdonald qui a pendu ce même Riel !

Offrir une récompense pour l'arrestation de Riel, c'est un crime impardonnable. Pendre Riel, c'est un acte de haute et bonne politique !

Dans les affaires du Nord-Ouest, négligées par les deux partis, on ne voit que la faute de l'*autre* parti.

Les *bleus* qui cherchent sans cesse à exploiter la religion, accusent les *rouges* d'impiété; les *rouges*, sous prétexte de réagir contre les abus des *bleus*, ont travaillé pendant des années à éliminer le prêtre de la vie sociale et politique.

Les *bleus* mettent une grande ardeur à proclamer et à défendre les principes, pourvu qu'ils puissent, par la même occasion, porter des coups aux *rouges*. S'agit-il de lutter pour un principe que *nos amis* ont violé, c'est autre chose ! Alors il faut y mettre beaucoup de précaution, force circonlocutions, une extrême prudence et une douceur infinie ! Ce cher parti *bleu,* voyez-vous, aurait peut-être à souffrir d'un parler trop franc, les *chefs* pourraient en être froissés, embarrassés.

Les *rouges*, dans l'opposition, font des discours à perte d'haleine sur les gaspillages et le népotisme de leurs adversaires, mais on n'a jamais vu qu'ils aient fait des merveilles en fait d'économie et de désintéressement une fois arrivés au pouvoir.

Et, détail piquant, les *rouges* et *bleus* ont en horreur l'esprit de parti *chez les autres*.

Vous rencontrez un *bleu* sur la rue, et vous entamez une discussion politique avec lui; vous serez édifié de l'entendre déclamer contre l'esprit de parti qui aveugle son voisin *rouge* et qui l'empêche de voir les méfaits de ces obstinés libéraux. Et lui-même suinte l'esprit de parti par tous les pores.

Cinq minutes après, ce « voisin rouge » vous accoste et, lui qui ne jure que par la *Patrie* ou l'*Electeur*, vous déclarera, avec une grande sincérité, que seul l'esprit de parti le plus stupide peut pousser les *bleus* à croire aux balivernes de la *Minerve* et du *Monde*.

Cela devient amusant, parfois, à force d'être triste.

On ne sait trop s'il faut rire des folies que l'esprit de parti fait commettre aux hommes ou pleurer sur ses funestes résultats.

Quoi qu'il en soit, opposons à cet esprit de parti qui nous ruine, en nous couvrant de ridicule, l'esprit catholique qui sauve et qui impose le respect. C'est le remède au mal, et il n'y en a pas d'autre. Travaillons à développer parmi nos populations, parmi nos classes dirigeantes, le *sens catholique*. Là où le *sens catholique* fleurit, l'esprit de parti disparaît nécessairement; et, par contre, chez un peuple où domine l'esprit de parti il est inutile de chercher le sens catholique. L'esprit de parti et le sens catholique sont aussi incompatibles que la nuit et le jour.

Le sens catholique nous fait apprécier les hommes, les choses et les événements selon les règles que Dieu nous a données, et non selon le bon plaisir de Sir Hector Langevin ou de l'honorable M. Laurier.

Le sens catholique nous inspire de l'horreur pour le mal, que ce mal soit pratiqué par les *rouges* ou par les *bleus*.

Celui qui a le sens catholique se demande si tel acte sera agréable à Dieu, et se soucie peu de savoir ce que Sir John et M. Blake en penseront.

Celui que l'esprit catholique anime travaille à faire ce que Dieu exige de lui: il cherche d'abord le royaume de Dieu et sa justice. Que le premier ministre et le chef de l'opposition soient contents ou mécontents, que la *Minerve* applaudisse ou qu'elle condamne, que la *Patrie* rage ou qu'elle jubile, peu lui importe. Il craint Dieu et n'a pas d'autre crainte. Il va droit son chemin, il ne vend pas sa conscience pour de l'or ou un honneur; il n'achète pas la conscience de son voisin; il blâme ce qui est blâmable; il approuve ce qui est bien; en un mot, il se montre *chrétien* dans la vie sociale et dans le monde politique.

Tel est le *sens catholique*, l'*esprit catholique*, unique remède contre l'*esprit de parti*.

L'esprit catholique vient de Dieu, il vivifie et unit; l'esprit de parti vient de l'homme et du démon, il désunit, il tue.

Une séance de la Chambre française [2]

Les us et coutumes du Parlement français peuvent paraître bien étranges aux Canadiens habitués à

2.   *Notes de voyage*, 200-202.

un siècle de parlementarisme anglo-saxon. Tardivel, convaincu au surplus que la République conduit la France aux abîmes, s'en donne à cœur joie dans un tableau ironique de la Chambre française.

J'ai eu la bonne (?) fortune d'assister aujourd'hui à une séance très orageuse de la chambre des députés. J'ai vu le parlementarisme en action; j'ai vu le régime actuel dans son plus bel épanouissement; j'ai vu bouillir la marmite où l'on cuisine les lois du « plus beau royaume après le ciel ». Quel spectacle navrant, indiciblement triste, humiliant et scandaleux (...).

Mais voici qu'un député de la droite monte à la tribune; c'est un homme grand, svelte mais vigoureux; il a la démarche militaire, il porte la tête haute; sa chevelure est d'ébène, sa figure de bronze. En le voyant, la gauche pousse une clameur immense de rage et de haine. Cette clameur dure peut-être cinq minutes, sans interruption. L'homme qui vient de monter à la tribune attend. Il y a chez lui du tigre et du lion. Quand il se promène de long en large — car la tribune a bien dix pieds de longueur — il a toute la souplesse, tous les mouvements onduleux du tigre. Mais quand il se campe fièrement devant cette masse qui vocifère et s'agite, quand il regarde tous ces ennemis enragés, en face, et secoue sa crinière, c'est le lion.

Enfin, de guerre lasse, la gauche se tait un instant. Aussitôt Paul de Cassagnac, car c'est lui, lance ses premiers traits acérés; d'abord contre M. Floquet dont il qualifie le langage de scandaleux, mot qu'il retire aussitôt parce que ce n'est pas parlementaire, dit-il. Il y substitue *anormal*, mais prononcé sur un ton qui le rend plus insultant que *scandaleux*. Puis il s'attaque à toute la gauche, à tout le parti républicain. « C'est sous la république, dit-il, qu'il nous a été donné de voir vingt ou vingt-deux membres de la commission du budget appelés devant la cour d'assises. » — « Ce sont des témoins et non des accusés », clame le président. « Légalement des témoins, riposte de Cassagnac, mais devant l'opinion publique c'est à un autre titre qu'ils sont appelés. » Ce ne sont plus des cris, ce sont des hurlements, des rugissements de bêtes fauves. Je n'ai jamais vu spectacle plus terrifiant. Une bagarre semblait imminente, et je ne sais vraiment pas ce qui a empêché ces enragés d'en venir aux mains.

M. de Cassagnac retourne à son siège et M. Rouvier monte à la tribune. Il commence par ces paroles: « Messieurs, l'honorable M. Paul Granier de Cassagnac... » — « Retirez le mot honorable », crie une voix à gauche. De Cassagnac est aussitôt debout, frémissant: « Quel est l'homme qui m'outrage ? » s'écrie-t-il, « qu'il se lève ! » M. Calès, député de la Haute-Garonne, se lève et vocifère: « C'est moi. » M. Rouvier continue son discours et déclare qu'il « repousse du pied » toute accusation portée contre lui.

Après le discours de M. Rouvier, il n'y a plus moyen de rien entendre. Personne ne monte à la tribune, mais tous crient et hurlent, tous sont debout, les uns à leurs sièges, d'autres dans les allées et l'hémicycle; tous gesticulent furieusement. Au milieu de ce vacarme, le comte de Douville-Maillefeu, le farouche radical, trouve le moyen de se faire remarquer; ses cris dominant tous les autres cris, ses gestes dépassant tous les autres gestes en fureur folle et aveugle. C'est un vrai déchaîné. Un patient dans un asile d'aliénés, qui ferait seulement la moitié de ce que fait ce député du peuple, se verrait mettre la camisole de force, et le Dr Tuke n'y trouverait pas à redire.

Le calme s'est rétabli enfin, car les députés sont presque tous sortis par groupes. Le ministre des travaux publics a parlé de havres et de quais devant des banquettes vides.

Cette séance mémorable a donné lieu à quatre échanges de témoins. MM. Sarrieu et Gerville-Réache ont envoyé chacun deux témoins à Paul de Cassagnac, et celui-ci a envoyé deux témoins, MM. Cazenove de Pradine et Sevaistre, à M. Rouvier pour lui demander compte de ses paroles: « Je repousse ces accusations du pied. » De Cassagnac a aussi chargé deux autres députés de la droite, MM. Calvet Rogniat et Lareinty, de demander raison à M. Calès. Au moment où je vous écris, l'affaire Cassagnac-Rouvier seule est arrangée à l'amiable; les quatre témoins étant tombés d'accord pour déclarer que « ni l'honneur de M. Cassagnac ni celui de M. Rouvier n'est en cause ». Les trois autres affaires sont encore pendantes et donneront peut-être lieu à des duels.

Si les Français pouvaient se convaincre que cette manie du duel est aussi stupide qu'elle est criminelle, ils l'abandonneraient; car s'ils ne respectent pas les lois de Dieu et de l'Eglise, ils ont peur du ridicule.

Ce qui est triste, surtout, c'est de voir des hommes qui se posent en défenseurs des droits de l'Eglise, mépriser ouvertement ses lois. Comment ces membres de la droite qui se battent en duel veulent-ils qu'on croie à la sincérité de leurs protestations en faveur de la religion, quand ils sont les premiers à fouler aux pieds les commandements de cette même religion ?

Mon expérience d'aujourd'hui m'a ôté la dernière illusion que j'aurais pu avoir sur la possibilité d'établir un régime parlementaire quelconque en France. Le peuple français est aussi peu fait pour vivre en république que l'huile et le feu sont faits pour être mêlés ensemble.

$100,000 [3]

Tardivel avait accordé son appui au mouvement national dirigé par Mercier malgré le libéralisme incontestable de l'homme politique. Le scandale de la Baie des Chaleurs qui révèle la corruption dans l'entourage de Mercier entraîne la chute du ministère à la fin de 1891. Les ultramontains se rallient au gouvernement conservateur de Boucherville. Tardivel se montre un des plus féroces critiques du premier ministre déchu qui cherche à revenir dans la vie politique.

M. Mercier a refusé de dire quelle était la provenance de ces sommes considérables déposées à son crédit aux banques, du temps qu'il était ministre. C'est là, a-t-il dit, une affaire qui ne regarde pas le public.

Sans doute, le public n'a rien à voir aux affaires privées de M. Mercier. Mais, dans les circonstances, puisque l'ancien premier ministre a jugé bon de déclarer qu'il a eu aux banques des comptes pour au-delà de $100,000, il aurait dû, dans son propre intérêt, aller un peu plus loin et indiquer la provenance de ces grosses sommes. Il n'était pas obligé d'avouer qu'il avait eu de telles sommes à sa disposition. C'est de son propre mouvement, et comme par vantardise, qu'il a fait cet aveu. Que n'a-t-il compris la nécessité qu'il y avait pour lui, puisqu'il voulait mettre le public dans ses confidences, d'aller jusqu'au bout et de faire connaître la source de cette subite opulence !

M. Mercier semble incapable de comprendre qu'il est un homme comme les autres, qu'il ne peut pas s'affranchir des lois qui régissent le commun des mortels.

Voici un homme politique qui est notoirement pauvre; tellement peu fortuné, tellement besogneux qu'un

---

3. *La Vérité*, 4 mars 1893.

jour il est obligé de supplier un ami de lui prêter $500 afin de n'être pas « dangereusement embêté », selon sa propre expression. Quelle était cette mauvaise affaire qui le menaçait ? Dieu le sait. Mais ce qui est connu de tout le pays, c'est que cet homme, malgré ses talents, malgré la profession qu'il exerçait, était raide pauvre en 1885-86.

Au commencement de 1887, ce même homme devient premier ministre de la Province. Il touchait un salaire de $5,000 par année. A peine est-il arrivé au pouvoir que son opulence devient aussi notoire que sa pénurie l'avait été: il vit sur un ton de grand seigneur, dépensant, au vu et au su de tout le monde, $25,000, $30,000 par année, peut-être davantage. Il acquiert des propriétés considérables; et, de son propre aveu, ses crédits aux banques dépassaient parfois un demi-million de francs !

Cet homme tombe du pouvoir, et que voyons-nous ? De nouveau il crie famine, de nouveau il se proclame pauvre. Ce sont ses adversaires, dit-il, qui l'ont ruiné. Mais *comment* ? Il a subi un procès, c'est vrai; mais ce n'est pas ce seul procès qui a pu mettre dans le chemin un homme qui, quelques mois auparavant, roulait sur l'or. Il n'a payé aucune amende, il n'a été condamné à aucun remboursement. Qu'il ne dise donc pas que ce sont ses adversaires qui l'ont *ruiné*; à moins d'ajouter que, pour lui, la perte du pouvoir a été synonyme de perte de ses sources de revenu.

Voilà, malheureusement pour M. Mercier, ce que le public est obligé de constater: avant et après la possession du pouvoir, il est pauvre; pendant qu'il possède le pouvoir, il nage dans l'argent. Qu'est-ce à dire ? Quelle conclusion s'impose à tout homme de bon sens ? Il n'y a pas de charité chrétienne qui y tienne:

personne ne peut s'empêcher de voir ce fait brutal, c'est que M. Mercier n'a été riche qu'au pouvoir. S'il est tellement infatué de lui-même qu'il n'éprouve pas le besoin de donner une explication claire et satisfaisante de ce fait anormal, il est grandement à plaindre. Règle générale, les hommes publics ne s'enrichissent pas subitement lorsqu'ils sont ministres. On prétend que le pouvoir honnêtement administré appauvrit plutôt.

Il est théoriquement possible qu'un homme puisse recevoir un héritage pendant qu'il est ministre, ou faire quelque heureuse et légitime spéculation. Mais, en semblable occurrence, celui qui aurait le moindre souci de sa réputation s'empresserait de faire connaître cet événement au public.

Nous regrettons d'avoir à dire des choses aussi désagréables à M. Mercier, mais c'est un devoir public que nous remplissons.

Si le député de Bonaventure s'était rendu compte de sa position; s'il avait donné suite à sa détermination, prise au lendemain de sa défaite du 8 mars 1892, de se retirer complètement de l'arène politique, nous l'aurions laissé volontiers en paix jusqu'à la fin de ses jours. Tant qu'il est resté en dehors de la vie publique nous avons gardé à son sujet un silence absolu, nos lecteurs ont dû le remarquer. Nous ne sommes donc animé à son égard d'aucun sentiment d'animosité personnelle. Mais voici qu'il s'efforce de rentrer dans la vie politique et d'y jouer un rôle important. C'est notre devoir de l'empêcher par tous les moyens légitimes dont nous disposons, de reprendre l'ascendant qu'il avait jadis et dont il a tant abusé; c'est notre devoir de ne pas lui permettre de faire oublier son passé politique si louche, si compromettant.

Laurier et la guerre des Bœrs [4]

En mars 1901, alors que la guerre des Bœrs bat
son plein, le député Henri Bourassa présente une
proposition à la Chambre des Communes dans laquelle il demande au gouvernement britannique de
conclure la paix sur la base de l'indépendance sud-
africaine et s'oppose à l'envoi de tout autre contin-
gent canadien. Tardivel qui milite dans la *Vérité*
contre la participation du Canada à la guerre depuis ses débuts ne manque pas de fustiger Laurier
qui a répondu à Bourassa. Pour Tardivel, Laurier
apparaît par ses idées « impérialistes » et son libéralisme en politique et en religion, comme le pire
ennemi de la nation canadienne-française.

Dans notre numéro du 9 mars, nous avons publié
le texte de la motion soumise à la Chambre des Communes par M. Henri Bourassa, député de Labelle, sur
la question de la guerre sud-africaine.

Le 12 mars, la motion a été discutée. Le député de
Labelle a appuyé sa proposition d'un discours énergique et courageux, parfaitement loyal, mais anti-impé-
rialiste, antijingoïste.

Sir Wilfrid a pris la parole après le député de
Labelle et a prononcé une harangue qui a réjoui tous
les impérialistes, tous les jingoïstes de l'Empire.

Il est vraiment étonnant de voir avec quel calme
imperturbable sir Wilfrid Laurier se plante en face
du monde civilisé et dit: le monde civilisé se trompe.
Dans la lutte de quelques milliers de paysans contre l'immense empire britannique, ce sont les quelques
milliers de paysans qui sont les injustes agresseurs. Ce
sont eux qui ont attaqué le colosse, ce n'est pas le

---

4. *La Vérité*, 23 mars 1901.

colosse qui a provoqué la guerre dans le but de les écraser. Et aujourd'hui, si le colosse se propose de leur confisquer leur existence nationale, c'est justice, et nous devons applaudir !

M. Laurier dit tout cela froidement, le plus naturellement du monde, comme si ce n'était pas une monstruosité.

Car même en supposant que les Bœrs fussent réellement les injustes agresseurs, les lois de la guerre moderne ne permettent pas au peuple vainqueur d'enlever au peuple vaincu son existence nationale.

A-t-on permis, en 1896, à la Turquie d'enlever son existence nationale à la Grèce écrasée ? La Turquie y a-t-elle même songé ? Nous ne le croyons pas.

La politique de Chamberlain et de lord Salisbury est donc mille fois plus barbare et cruelle que celle du Grand Turc. Et sir Wilfrid Laurier, un prétendu libéral, approuve cette politique féroce.

Mais avec les hommes impartiaux et éclairés de tous les pays civilisés, et avec des Anglais qui ont le courage et la grandeur d'âme nécessaires pour s'élever au-dessus des préjugés et des haines qui aveuglent tant de leurs compatriotes, avec M. W.T. Stead, nous disons que cette guerre est une guerre inique du côté des Anglais, que c'est une répétition de l'histoire de la vigne de Naboth, que si les Bœrs ont été matériellement les agresseurs, les Anglais portent, moralement, la responsabilité effrayante d'avoir commencé la guerre.

Le calme avec lequel M. Laurier a dit des énormités, l'autre jour, est incroyable.

Au lendemain du jour où le Parlement d'Ottawa a cru devoir enfin protester contre une déclaration roya-

le dont les annales du monde n'offrent pas d'exemple;
une déclaration qui respire le fanatisme le plus aveugle,
la haine la plus diabolique; au lendemain de cette tar-
dive protestation, sir Wilfrid Laurier se lève, calme et
audacieux, pour débiter les phrases suivantes:

> Voici le problème sud-africain. Vous avez dans ce
> pays deux races tellement mêlées et enchevêtrées
> l'une dans l'autre qu'il est impossible de les séparer.
> Ces deux races doivent être gouvernées par un pou-
> voir unique et une autorité unique, et ce pouvoir
> doit être ou le pouvoir de l'Angleterre ou le pouvoir
> des Hollandais. Il faut de deux choses l'une: la civi-
> lisation libérale et éclairée de l'Angleterre d'aujour-
> d'hui, ou la civilisation fanatique et étroite des
> Hollandais d'il y a deux cents ans [5].

Les Hollandais, comme tous les peuples protestants, du reste, ont été autrefois persécuteurs; mais jamais, croyons-nous, ils n'ont inventé rien de semblable à la déclaration blasphématoire que le peuple anglais a forcé son roi à souscrire, le 14 février de l'an
de grâce 1901.

Et M. Laurier vient tranquillement nous parler
de la civilisation fanatique et étroite des Hollandais
d'il y a deux cents ans !

Il est étonnant cet homme !

Le monde civilisé est le témoin consterné de la
manière dont se fait la guerre dans le Sud-Africain.

D'un côté, les Anglais ont été obligés d'admettre
que les Boers ont traité leurs prisonniers de guerre
avec une humanité extraordinaire. De l'autre, il est

---

5. *House of Commons Debates. Unrevised Edition,*
1404. (Note de Tardivel)

avéré que Kitchener et Roberts ont fait une campagne horrible, digne de Jules César.

Et en face de ce grand fait de l'histoire contemporaine, sir Wilfrid continue toujours calme et audacieux:

> Au nom de la civilisation, au nom de l'humanité, je le lui demande (à M. Bourassa) lequel de ces deux pouvoirs devrait prévaloir dans ce lointain pays ? Est-ce le pouvoir éclairé de l'Angleterre, ou est-ce la civilisation à demi barbare des Hollandais ? [6]

Vraiment, il est étonnant ce sir Wilfrid Laurier.

Naturellement, le chef conservateur, M. Borden, a parlé dans le sens de sir Wilfrid Laurier. Naturellement, aussi, la Chambre, conduite par de tels *leaders,* a rejeté la motion Bourassa presque unanimement. Seuls MM. Angers et Monet ont eu le courage de voter avec leur collègue de Labelle.

Nous voilà donc lancés à fond de train dans la voie de l'impérialisme.

Cette quasi-unanimité de la Chambre contre la motion Bourassa a quelque chose de sinistre pour le peuple canadien.

Il est des moments où les peuples, pris de vertige, frappés de démence, courent d'eux-mêmes à l'abîme. En sommes-nous arrivés là ?

---

6. *Idem*, 1405. (Note de Tardivel)

L'AVENIR DU CANADA
ET DU QUÉBEC

Union nationale et religieuse [1]

Le 16 novembre 1885, Louis Riel est pendu à
Régina. L'agitation dans le Québec à la suite du
procès sommaire est extrême. Le 22 novembre,
Honoré Mercier, à l'assemblée monstre du Champ-
de-Mars à Montréal, propose la formation d'un
parti national groupant tous les Canadiens français.

Ce parti vise à débarrasser le pays de l'influence
de MacDonald et des orangistes qui viennent
d'insulter les Canadiens français. Tardivel, qui est
bien peu attaché au parti conservateur, accepte le
mouvement national, mais à des conditions pré-
cises où on voit clairement exprimé son idéal religieux et politique.

Il n'y a pas à se le cacher: un formidable soulève-
ment se produit dans la province de Québec depuis la
fatale journée du 16. Jamais, peut-être, on n'a vu mouvement populaire pareil.

Quelques-uns déplorent ce mouvement, disent qu'il
n'est pas justifié par les circonstances.

On peut déplorer l'agitation des esprits, mais c'est
un fait dont il faut tenir compte. Rien de bon ne
sortira de ce bouleversement, dit-on encore.

---

1. *La Vérité*, 28 novembre 1885.

Sans doute, rien de bon ne sortira du mouvement s'il n'est pas dirigé ou s'il est mal dirigé. Si ceux qui ont des principes, du désintéressement, du patriotisme véritable se croisent les bras, sous prétexte que le mouvement ne leur plaît pas, et laissent le champ libre aux hâbleurs, aux démagogues, aux tireurs de ficelles et aux coteries, nous roulerons dans un abîme, c'est incontestable.

Voilà pourquoi c'est un devoir pour tout homme éclairé et consciencieux de faire tout en son pouvoir afin que cette agitation ne prenne pas une tournure désastreuse.

On parle toujours de réunir les Canadiens français dans un immense parti *national*.

Certes l'idée est excellente: depuis longtemps nous demandons cette union de nos compatriotes. Et si cette union se produisait, solide et durable, le sinistre événement du 16 novembre aurait été un grand malheur pour un très grand bien.

Mais comment opérer cette union que tout le monde désire ? Voilà le nœud de la question.

Pour que cette union s'effectue il faut une base sur laquelle on puisse l'asseoir; il faut un terrain commun où tous les hommes de bonne volonté puissent se rencontrer honorablement.

Il faut un programme, c'est-à-dire un drapeau; il faut un but; il faut savoir *pourquoi* on se réunit.

Une union purement *nationale* ne manquerait pas de dégénérer en une guerre de races, malheur qu'il faut éviter à tout prix.

Il faut qu'à l'idée nationale se joigne étroitement l'idée religieuse, ne nous lassons pas de le proclamer.

C'est l'unique moyen d'empêcher le sentiment national de se fourvoyer.

N'ayons pas honte de donner à ce mouvement un cachet profondément religieux: la religion est le sel des sociétés. Sans elle tout se corrompt.

Imitons l'exemple de nos pères qui, dans les jours tourmentés qui ont suivi la cession du Canada à l'Angleterre, se sont groupés autour de l'Eglise. C'est l'Eglise qui a sauvé notre jeune nationalité alors; ce sont les vérités sociales qu'Elle enseigne qui nous guideront sûrement à travers la crise actuelle.

On dit que notre nouveau programme doit être: « guerre à l'orangisme ». Cette guerre est très légitime et très nécessaire, sans doute, mais cela ne suffit pas, car l'orangisme n'est pas le seul ennemi que nous ayons à combattre. La franc-maçonnerie, qui se tient dans l'ombre et fait agir les autres sectes, voilà le grand péril.

Prenons garde ! Pendant que nous serons occupés à combattre les orangistes, la franc-maçonnerie, avec toutes les erreurs sociales qu'elle a engendrées et qu'elle propage, entrera dans la citadelle. Depuis longtemps ses batteries sont dirigées sur nous; depuis longtemps elle mine sourdement le terrain que nous foulons.

N'allons pas faciliter son œuvre, n'allons pas tomber dans le piège qu'elle nous tend: défendons-nous contre le fanatisme orangiste, mais en même temps combattons les erreurs sociales par lesquelles la franc-maçonnerie empoisonne lentement les nations aveuglées.

Soyons certains que Léon XIII n'était que l'écho de la sagesse divine lorsqu'il a mis tous les peuples de la terre en garde contre la franc-maçonnerie, mère et maîtresse de toutes les autres sociétés secrètes.

Ecoutons la voix du Saint-Père. C'est aujourd'hui que nous avons une magnifique occasion de montrer que nous sommes réellement et sincèrement attachés aux enseignements du Saint-Siège.

Rappelons-nous la recommandation de Léon XIII aux catholiques français dans sa mémorable lettre à l'évêque de Périgueux: union de tous les vrais enfants de l'Eglise sur le terrain du *Syllabus* et des autres enseignements pontificaux; union des catholiques pour combattre les erreurs modernes que propage la franc-maçonnerie.

Ce qui est bon pour la France ne saurait être mauvais pour nous.

Il faut donc que l'union projetée des Canadiens français, pour être solide et durable, soit autre chose qu'une union purement *politique* où un vague sentiment national serait le seul lien entre les membres.

Dans une pareille union la discorde s'introduirait avant six mois. Et au bout d'une année nous serions de nouveau divisés en deux ou trois partis politiques.

Que l'idée religieuse préside donc à cette union, qu'elle la sanctifie, qu'elle la purifie. Que ce soit une union que l'Eglise puisse bénir, que le clergé puisse approuver.

Naturellement, nous ne voulons pas imposer une *formule* de programme, mais nous croyons que celle que nous avons déjà proposée est acceptable: « Guerre à l'orangisme et au fanatisme; guerre à la franc-maçonnerie et aux erreurs sociales ».

On pourra, sans doute, trouver une meilleure formule; il faudra des développements; mais voilà l'*idée* qui doit présider à l'union des Canadiens français si l'on veut compter sur la coopération active de ceux qui mettent les intérêts religieux et sociaux au-dessus des combinaisons purement politiques et du *sentimentalisme* national.

Pour le véritable Canadien français il n'y a pas de patriotisme sans religion.

Ceux qui voudraient une union nationale en dehors de l'idée religieuse ne sont pas de véritables patriotes.

L'avenir de la Confédération [2]

> Tardivel puise abondamment dans les déclarations et les événements de son temps pour édifier son roman. Un personnage résume ici les trois tendances de l'opinion canadienne sur l'avenir de la Confédération. Tardivel exprime ses espoirs personnels à travers celle du « troisième groupe ».

« Trois voies s'ouvrent devant nous: le *statu quo,* l'*union législative* et la *séparation.* Un mot d'explication sur chacune. Si nous adoptions ce que l'on appelle le *statu quo,* la transition se ferait à peu près sans secousse. Nous resterions avec notre constitution fédérative, notre gouvernement central et nos administrations provinciales. Le gouverneur-général, au lieu d'être nommé par l'Angleterre, serait élu par nous, voilà toute la différence. Le parti conservateur, actuellement au pouvoir à Ottawa, est favorable au *statu quo.* Ce parti se compose des *modérés.* Les *modérés,* cela veut dire, en premier lieu, tous les gens en place, avec leurs parents et amis, ainsi que ceux qui ont l'espoir de se placer, avec *leurs* parents et *leurs* amis; ensuite, les entrepreneurs et les fournisseurs publics

---

2. *Pour la Patrie,* 76-79.

avec tous ceux qui les touchent de près ou de loin; enfin, les personnes qui n'ont pas assez d'énergie et d'esprit d'indépendance pour vouloir autre chose que ce que veulent les journaux qu'ils lisent et les chefs politiques qu'ils suivent. »

« Le parti du *statu quo* doit être formidable par le nombre ! Je me demande s'il reste quelque chose pour les deux autres partis. »

« Dans toutes les provinces il y a des partisans de l'*union législative*. Ce sont principalement les radicaux les plus avancés, les francs-maçons notoires, les ennemis déclarés de l'Eglise et de l'élément canadien-français. Dans la province de Québec ce groupe est très actif. A sa tête est un journaliste nommé Ducoudray, directeur de la *Libre-Pensée*, de Montréal. Il va sans dire que les *unionistes* cachent leur jeu, autant que possible. Ils demandent l'*union législative* ostensiblement pour obtenir plus d'économie dans l'administration des affaires publiques. Mais ce n'est un secret pour personne que leur véritable but est l'anéantissement de la religion catholique. Pour atteindre la religion, ils sont prêts à sacrifier l'élément français, principal appui de l'Eglise en ce pays. »

« Voilà un parti qui ne se recommande guère aux honnêtes gens ! J'ai hâte de vous entendre parler du troisième. »

« Le troisième groupe est celui des *séparatistes*. M. Lamirande, que vous avez vu tout à l'heure, en est le chef, et votre humble serviteur en fait partie. Nous trouvons que le moment est favorable pour ériger le Canada français en Etat séparé et indépendant. Notre position géographique, nos ressources naturelles, l'homogénéité de notre population nous permettent d'aspi-

er à ce rang parmi les nations de la terre. La Confédération actuelle offre peut-être quelques avantages
matériels; mais au point de vue religieux et national
elle est remplie de dangers pour nous; car les sectes ne
manqueront pas de la faire dégénérer en union législative, moins le nom. D'ailleurs, les principaux avantages matériels qui découlent de la Confédération pourraient s'obtenir également par une simple union pos-
tale et douanière. Notre projet, dans la province de
Québec, a l'appui des catholiques militants non aveuglés par l'esprit de parti. Le clergé généralement le
favorise, bien qu'il n'ose dire tout haut ce qu'il pense,
car depuis longtemps le prêtre, chez nous, n'a pas le
droit de sortir de la sacristie. Dans les autres provinces cette idée de séparation paisible a fait du chemin.
Il y a un groupe assez nombreux qui est très hostile à
l'union législative et qui préférerait la séparation au
projet des radicaux. Ce groupe se compose des catholiques de langue anglaise et d'un certain nombre de
protestants non fanatisés. Il a pour cri de ralliement:
Pas d'Irlande, pas de Pologne en Amérique ! Il ne
veut pas que le Canada français soit contraint de
faire partie d'une union qui serait pour lui un long
et cruel martyre. Le chef parlementaire de ce parti est
M. Lawrence Houghton, protestant, mais homme in-
tègre, honorable et rempli de respect pour l'Eglise,
de sympathie pour l'élément français. Voilà, monsieur
le baron, un aperçu de la situation politique du Canada en ce moment. »

L'indépendance [3]

Depuis la débâcle de Mercier, Tardivel qui a per
du confiance dans les structures et les partis trad
tionnels, se tourne vers la solution de l'indépen
dance du Québec. Il s'agit pour lui d'une indéper
dance « de désir » inévitable certes, puisqu'elle es
inscrite dans la nature des choses, mais réalisabl
seulement à longue échéance.

Il serait peut-être à propos de bien s'entendr
sur le sens précis de cette expression: l'*indépendanc
du Canada*.

Que les Canadiens français aspirent vers la créa
tion, à l'heure voulue par la divine Providence, d'u
Etat français, libre, indépendant, autonome; état qu
embrassera toute la partie nord-est du continent amé
ricain, nous le croyons bien. Cet espoir doit être a
fond de tout cœur canadien-français vraiment patriot(
S'il n'y était pas, les efforts que nous faisons pour gar
der notre langue, nos institutions, notre nationalité
n'auraient aucun sens. Pourquoi nous donner tant d
mal pour conserver notre existence propre, si nous n
comptons pas, qu'un jour, connu de Dieu seul, cett
existence recevra son plein développement ? La lutt
pour préserver intacte la nationalité canadienne-fran
çaise, au milieu des vicissitudes politiques par lesque)
les notre peuple a passé, suppose nécessairement l'in
tention de former, un jour, une *nation* canadienne
française.

La formation, à l'heure providentielle, de cet Eta
franco-américain, nous l'appelons de tous nos vœu»

---

3. *La Vérité*, 12 octobre 1901.

Cet Etat se nommera peut-être le Canada. Il aura certainement des limites beaucoup plus étendues que les limites actuelles de la province de Québec.

Si c'est là ce que l'on entend par l'*indépendance du Canada*, nous en sommes de tout cœur, pourvu que l'on sache attendre les événements et l'heure de Dieu.

Mais si par *indépendance du Canada*, on entend l'indépendance du Canada *tel qu'il est*; la rupture pure et simple du lien colonial, du lien qui nous unit à l'Angleterre, et le maintien des liens qui enchaînent les provinces les unes aux autres, nous n'en sommes pas du tout.

Nous n'aurions rien à gagner à une semblable indépendance; car nous ne cesserions pas d'être la minorité dans ce Canada indépendant. Nous aurions, au contraire, tout à y perdre; car la majorité anglaise du Canada, qui nous est certainement plus hostile que le peuple et le parlement anglais, libre désormais de toute contrainte, tenterait sérieusement de mettre à exécution ses projets d'anglicisation universelle. Ce serait ou l'écrasement de notre race, ou la guerre civile, deux choses à éviter.

Soyons-en convaincus, le lien politique qui nous unit à l'Angleterre nous protège, jusqu'à un certain point, contre les entreprises de nos *frères* d'Ontario, de l'Ouest et de l'Est. Ils n'en tiennent pas beaucoup compte, c'est vrai, puisque, malgré ce lien, ils ont aboli les écoles catholiques et l'usage officiel de la langue française partout où ils ont pu le faire. Mais si le Canada avait été *indépendant*, si ces messieurs n'avaient eu aucun compte à rendre à personne sur terre, ne seraient-ils pas allés beaucoup plus loin encore ? Nous le croyons.

Donc, si le fanatisme des francophobes nous forçait malheureusement à recourir à un changement de
régime politique pour nous protéger contre leurs attaques, c'est à l'*annexion* aux Etats-Unis, plutôt qu'à
l'*indépendance*, qu'il faudrait avoir recours. Ce serait
un jour plein de tristesse pour nous que celui où nous
verrions venir l'*annexion*; mais enfin l'*annexion* nous
épouvante moins que l'*indépendance*, dans l'état actuel du Canada; laquelle nous livrerait pieds et poings
liés à nos ennemis les plus enragés et les plus invété-
rés: les descendants des *Bostonnais* d'autrefois.

L'idéal, pour nous, serait de dégager la province
de Québec de la Confédération, tout en restant encore
colonie anglaise. Nous retournerions ainsi à la position relativement avantageuse où nous étions avant
la néfaste Union des deux Canadas.

Et si ce projet est jugé impossible — nous avouons
que la réalisation en serait difficile — faisons tous
nos efforts pour maintenir le *statu quo* jusqu'à ce
que notre élément soit numériquement assez fort pour
faire face à toutes les éventualités, à toutes les situations.

Pour cela, fortifions-nous de toutes manières.
Agrandissons notre territoire par l'occupation du sol,
par la colonisation; attachons-nous de plus en plus
fortement à ce sol par l'amélioration de notre agriculture.

Et ne négligeons pas un autre point de la plus
haute importance, auquel on n'a peut-être pas assez
songé dans le passé.

La divine Providence a doté notre race d'une vita-
lité merveilleuse qui se traduit par une *natalité* éton-
nante. Mais les effets pratiques de cette belle et honorable natalité sont en grande partie neutralisés par une

déplorable mortalité chez les enfants en bas âge. C'est
là le défaut de notre cuirasse; et l'affaire est assez
grave, croyons-nous, pour justifier notre gouvernement
provincial de s'en inquiéter et de s'en occuper.

Si nous pouvions réduire la mortalité chez nos enfants à des proportions normales; si nous voulions, de
plus, nous occuper sincèrement de colonisation et
d'agriculture, afin d'empêcher notre population gran-
dissante de s'éparpiller; nous pourrions attendre avec
confiance, l'heure de Dieu; car nous serions certains
alors d'avoir répondu, de notre mieux, à la grâce de
la fécondité.

Dans cinquante ans, peut-être, notre race serait
prête à prendre sa place parmi les nations de la terre.
Voilà l'*indépendance* vers laquelle il faut tendre.

Pour un drapeau national canadien-français [4]

Les liens étroits qui existent aux yeux de Tardivel
entre la langue française et la religion catholique
au Canada français, sa méfiance de la France de
1789 et la sympathie qu'il entretient pour la dévotion au Sacré-Cœur fort en vogue chez les catholiques français amènent le journaliste à fixer son
choix sur le Carillon-Sacré-Cœur quand, au moment du renouveau nationaliste des années 1900,
des Canadiens français veulent un drapeau distinc-
tif.

On discute, depuis assez longtemps, dans les journaux, la question de savoir si les Canadiens français
doivent adopter un drapeau qui leur soit propre, et,
dans l'affirmative, quel doit être ce drapeau.

---

4. *La Vérité*, 8 novembre 1902.

Comme nous l'avons dit plus d'une fois, nous sommes bien d'avis que le peuple canadien-français devrait adopter un drapeau national qui lui soit propre et y mettre le Sacré-Cœur.

Quant au tricolore, nous ne voyons vraiment pas comment il rappelle, pour nous, le moindre souvenir historique.

De plus, il a le grave inconvénient d'être le drapeau politique d'un autre peuple, d'un autre pays.

Nous sommes un peuple bien distinct du peuple français d'aujourd'hui et nous n'avons aucun intérêt à être confondus avec lui, loin de là.

Nous avons notre idéal à nous, notre histoire à nous; nos traditions et nos aspirations sont bien à nous; que notre drapeau le soit également.

Il s'agit, pour les Canadiens français, d'adopter un emblème *national* qui soit bien à eux, un emblème qui rappelle leur origine et qui proclame leur Foi.

Plus tard, à l'heure fixée par la divine Providence, lorsque notre race aura atteint son complet développement, et aura pris sa place parmi les peuples libres et autonomes, cet emblème, qu'il s'agit d'adopter *maintenant*, deviendra, naturellement, et sans discussion, le drapeau *vrai*, le drapeau politique de la nouvelle nation.

Et quel emblème est plus digne d'y figurer que l'emblème de l'Amour divin ?

Notre-Seigneur avait demandé que l'image de Son Cœur fût mise sur les étendards officiels de la France. Pour une raison ou pour une autre, cela n'a pas été fait. Ne convient-il pas hautement que la France nouvelle répare la négligence de la vieille France ?

LANGUE ET FOI

La langue française au Canada [1]

L'auteur de *La langue française au Canada* compte parmi ceux qui ont fait le plus pour défendre la langue des Canadiens français. La langue étant, pour Tardivel, intimement liée à la foi, la lutte qu'il mène s'inscrit naturellement dans son action de journaliste catholique. Son « canadianisme » enthousiaste et sa méfiance à l'égard de la France l'amènent à défendre de façon outrancière le parler franco-canadien.

Dans certains milieux, particulièrement aux Etats-Unis, on est sous l'impression que le français parlé au Canada n'est pas le français véritable, mais un patois quelconque. Nos voisins affectent souvent le dédain pour le *Canadian french*, très différent, à leurs yeux, du *real french as spoken in France*.

Plusieurs écrivains ont fait des efforts louables pour dissiper ce préjugé, sans grand succès, probablement: car les étrangers qui ont une si pauvre opinion de notre langage ne doivent guère lire ce que nous écrivons pour le défendre. Il faut donc les laisser à leur *sens réprouvé* et ne pas s'émouvoir de leurs calomnies.

L'important, c'est que nous ne venions pas à partager nous-mêmes cette mauvaise opinion du langage que nous parlons. Si nous tombions dans le mépris de

---

1. *La Vérité*, 5 février 1898.

notre langue, nous cesserions de l'aimer et de la défendre, et nous finirions par l'abandonner. Ce serait la dénationalisation de notre peuple, et bientôt suivrait la *fusion*: notre absorption, notre disparition dans le gouffre du *grand tout* anglo-américain. C'est ce que veulent nos ennemis. Ne leur donnons pas cette joie.

Gardons-nous donc, tout en travaillant sans cesse à épurer notre langage, de donner le moindre crédit à la thèse qui veut que nous parlions un jargon méprisable. J'ai toujours déploré, chez certain correcteur de fautes bien connu, la rage dédaigneuse qu'il déploie contre ce qu'il appelle le *canayen*.

La langue que nous parlons au Canada est bien la langue française, la belle langue française du grand siècle, et nous avons le droit, je dirai volontiers, le devoir d'en être fiers. Ne tombons pas, toutefois, dans l'exagération opposée à celle que commettent ceux qui dénigrent notre langage. N'ayons pas la fatuité de croire que nous parlons mieux le français que nos cousins de France; mais ayons, au sujet de notre parler, une juste fierté, mêlée à une humilité non moins juste. Nous avons reçu en héritage une des plus belles langues du monde; sous plusieurs rapports la plus belle; et, dans son ensemble, nous l'avons conservée intacte. A cause des circonstances difficiles où était placé notre peuple, c'est là une œuvre héroïque et nous pouvons nous en enorgueillir. D'un autre côté, cette pierre précieuse à nous transmise par nos pères, et qui ne s'est pas détériorée entre nos mains, a reçu cependant quelques taches. Elles n'en diminuent pas la valeur intrinsèque, mais elles en ternissent quelque peu l'éclat. Appliquons-nous à enlever cette poussière, mais que cela soit fait d'une main légère et délicate. Surtout, ne prenons pas pour ternissure ce qui, en réalité, est chatoyement gracieux. En d'autres termes, sous prétexte d'épurer notre langage, ne proscrivons pas, sans discernement, les archaïsmes qui l'embellissent aux yeux des véritables connaisseurs.

Le français qui se parle dans nos campagnes du Canada n'est nullement un patois; mais le fût-il que nous ne devrions pas en avoir honte. Certaines personnes semblent s'imaginer que *patois* et *jargon* sont synonymes. Rien de plus faux. Le patois, ou plutôt les patois, — car, selon Chaptal, il y en a, en France, pas moins de quatre-vingt-dix — sont de véritables langues, populaires, peu savantes, si l'on veut, mais possédant de grandes beautés, « la franchise et la naïveté de la nature antique », selon l'expression d'un écrivain français. Ce sont les formes primitives du français moderne; les premières transformations du latin venu en contact avec le celtique et le franc; transformations originales que le petit peuple a conservées intactes à travers les âges.

On ne doit donc pas mépriser le patois. N'oublions pas qu'à Lourdes c'est exclusivement en patois que la Sainte Vierge a parlé à Bernadette. La formule célèbre: « Je suis l'Immaculée Conception » n'est qu'une traduction. Le texte se lit comme suit: « Qué soi l'Immaculée Counceptioû. » Donc, si nos populations rurales parlaient le patois nous n'en aurions pas à rougir.

Mais c'est le français qu'elles parlent et non pas un patois. Et la raison en est bien simple. Le français s'est répandu dans le nord et le centre de la France bien plus vite que dans le midi. Au XVIIe siècle on parlait depuis longtemps le français dans les provinces d'où sont sortis presque tous les ancêtres du peuple canadien. C'est donc le français et non le patois qu'ils ont apporté au Canada et qu'ils nous ont transmis.

Du reste, en supposant que parmi les premiers co-
lons de ce pays il se soit trouvé quelques familles qui
patoisaient, la langue de l'immense majorité de nos
ancêtres, la langue du clergé, des militaires et des fonc-
tionnaires civils était le français, et c'est le français
qui a prévalu exclusivement. S'il y avait aujourd'hui
du patois au Canada, ce serait un véritable miracle.

Oui, le français que parlent nos gens de la campagne, particulièrement ceux qui ne sont jamais venus
en contact intime avec l'élément anglais, est un français pur, bien que quelque peu archaïque. M. l'abbé
Casgrain et d'autres l'ont démontré, nos campagnards
prononcent encore le français comme on le pronon-
çait généralement en France au milieu du siècle dernier; et comme on le prononce aujourd'hui en Nor-
mandie, ajouterai-je. Nous avons aussi conservé quelques mots et quelques expressions — en petit nombre — qui ont vieilli en France et que l'on ne trouve
guère plus que dans les glossaires. Quel mal y a-t-il à
cela ? Sommes-nous obligés de renoncer à de bons
vieux mots parce que nos cousins d'outre-mer les ont
laissés tomber en désuétude, appauvrissant d'autant leur
vocabulaire ?

On chicane nos gens, par exemple, parce qu'ils disent: « Il y a une bonne escousse », ou une « bonne
secousse », pour un « certain laps de temps ». « Il y a
une bonne secousse que je l'ai vu. » Cela n'est pas
dans les dictionnaires, j'en conviens; mais j'ai entendu cette expression en France, il y a à peine un an,
sur les lèvres d'une personne assez instruite.

On peut poser comme axiome que, dans notre parler canadien, tout ce qui n'est pas *anglais* est *français*.
Nous n'avons inventé que très peu de mots, et à part
les noms d'une foule d'endroits, de rivières et de lacs,

nous n'avons guère rien emprunté aux langues sauvages. Ces créations et ces emprunts sont légitimes, du reste, pourvu qu'ils soient conformes au génie de la langue française. Souvent une expression que les ultra-puristes condamnent comme un barbarisme est tout simplement un vieux mot français, particulier à quelque province, qu'on ne trouve que dans les glossaires et qu'on n'entend plus que dans quelque coin perdu de la France.

Je n'ai jamais pu admirer la guerre que l'on fait à ces archaïsmes. Gardons-les avec soin, plutôt.

Quant à la vieille prononciation, sans en rougir le moins du monde, nous pouvons l'abandonner, avec avantage peut-être, pour adopter la prononciation française moderne; mais la *vraie*; non point l'horrible grasseyement et l'*a* maigre et fermé des garçons de café parisiens. Disons *voir* et non pas *voère, mouchoir* et non pas *mouchouère, toi* au lieu de *toé*; mais évitons également *voar, loa* et *moa* et ne mettons pas un *a* fermé à *grâce* ou à *âme*.

Corrigeons, avec discernement, notre prononciation, c'est-à-dire, conformons-la à la bonne prononciation française. Cela se fait du reste rapidement. Mais gardons, je le répète, nos vieux mots, nos chers archaïsmes. Nous n'en avons pas trop.

En thèse générale, on peut dire que ce n'est pas le parler de nos cultivateurs qui a besoin de réforme. Le véritable, l'unique ennemi de la langue française au Canada, c'est l'anglicisme. Et l'anglicisme, c'est presque exclusivement parmi les classes instruites ou à demi instruites qu'il exerce ses ravages. C'est contre l'anglicisme seul, et non point contre l'archaïsme, qu'il faut dresser toutes nos batteries.

La langue gardienne de la foi [2]

Dans *La Situation Religieuse aux Etats-Unis,*
Tardivel n'oublie pas le sort des Franco-Améri-
cains. Le haut-clergé des Etats-Unis, en majorité
irlandais, cherche par tous les moyens à les amé-
ricaniser pour les rendre plus acceptables, et avec
eux l'Eglise catholique, aux Américains anglo-
saxons qui craignent la montée des Latins. Tardivel rappelle ici un thème permanent de la survi-
vance: l'union intime de la langue et de la foi, et
rejette la solution de l'assimilation forcée et préci-
pitée.

L'attachement d'un peuple à sa langue est merveil-
leusement fort; tellement fort que, si vous violentez
ce sentiment, vous pouvez causer des malheurs irré-
rables. Sans doute, il vaudrait infiniment mieux pour
les catholiques de langue française, ou de langue alle-
mande, ou de langue polonaise, établis aux Etats-Unis,
se dénationaliser immédiatement, plutôt que d'aposta-
sier ou de tomber dans l'indifférentisme; il vaudrait
mieux renoncer à leur langue nationale, plutôt qu'à
la religion de Notre-Seigneur JESUS-CHRIST. Malheureusement, le cœur humain est ainsi fait qu'il est
plus fortement lié aux choses temporelles qu'aux choses spirituelles. Un clergé qui voudrait dépouiller brus-
quement les Allemands, les Canadiens français, les
Polonais des Etats-Unis de leur langue nationale, les
jetterait pour la plupart dans l'apostasie. C'est pourquoi l'Eglise, qui est sage de la sagesse de DIEU, ne
permettra jamais une entreprise aussi téméraire.

Il n'y a aucun doute possible sur l'esprit de l'Eglise en cette matière: elle veut que la parole de DIEU
soit prêchée à chaque peuple dans son idiome particulier, quelque imparfait, quelque grossier ou quelque

---

2. *La Situation Religieuse aux Etats-Unis*, 206-208.

difficile qu'il soit. De tout temps, ses ministres se sont appliqués à parler les langues des différents peuples, même les plus sauvages, pour les mieux évangéliser, au lieu de chercher à astreindre les peuples à apprendre la langue des pasteurs. Jamais l'Eglise n'a travaillé à détruire une langue nationale pour la remplacer par une autre. Elle veut, au contraire, que chaque peuple conserve, autant que cela est possible, l'idiome qui lui est propre; car, divinement inspirée, elle sait qu'il existe un lien mystérieux entre la langue d'un peuple et son caractère intime, son âme. Détruisez la langue d'un peuple, et vous faites disparaître je ne sais quelle sève qui lui donnait la plénitude de la vie. Or, ce sont des peuples forts, vigoureux, bien vivants, que veut l'Eglise, car seuls de tels peuples peuvent pratiquer dans toute leur perfection les vertus chrétiennes.

Voilà pourquoi l'*assimilation* forcée ne. peut pas être une politique conforme à l'esprit de l'Eglise.

Les écoles du Nord-Ouest [3]

Au printemps de 1905, Tardivel que la maladie cloue à son lit et qui sent venir ses derniers moments avec une grande résignation chrétienne, continue de manifester une lucidité et une combativité exceptionnelles. Dans un de ses derniers articles, il dénonce le projet de loi présenté par Laurier le 21 février 1905, loi créant les provinces d'Alberta et de Saskatchewan. Aux yeux de Tardivel, ce projet ne respecte pas le droit des Canadiens français catholiques à des écoles de leur langue et de leur foi. Dans un article intitulé: « Triplement déplorable », le journaliste analyse et discute une lettre ouverte dans laquelle Laurier a essayé de défendre son attitude.

---

3. *La Vérité*, 18 mars 1905.

Cette lettre est triplement déplorable, désastreuse, navrante, dirons-nous aujourd'hui, après avoir lu et relu ce document, à tête bien reposée.

Au point de vue politique, au point de vue national, au point de vue religieux, elle est tout cela; et l'on ne peut concevoir qu'un chef de parti, un Canadien français et un catholique ait pu se décider à livrer à la publicité pièce pareille.

Au point de vue politique: M. Laurier invoque le nom et l'autorité de George Brown, dont il est en quelque sorte le successeur, puisqu'il est le chef incontesté du parti libéral. Eh bien ! les longues dissertations sont ici parfaitement inutiles pour montrer que M. Laurier ne vient pas seulement à la cheville du pied de George Brown comme homme politique. Par sa ténacité et sa clairvoyance, George Brown, protestant fanatique, a établi, probablement à tout jamais, dans la catholique province de Québec, des écoles séparées vraiment protestantes. Par sa lâcheté et son aveuglement, M. Laurier est en voie de priver à tout jamais ses coreligionnaires de l'Ouest d'écoles séparées vraiment catholiques.

Non, il n'y a aucune comparaison quelconque à établir entre l'œuvre de George Brown et celle de Wilfrid Laurier comme hommes politiques, sur le terrain scolaire. Le premier a fait pour les siens une œuvre durable comme l'airain; le second place de propos délibéré ses coreligionnaires dans une position de manifeste infériorité.

Voilà pour l'œuvre des deux hommes, au point de vue purement politique.

* * *

Au point de vue national, la lettre de M. Laurier n'est pas moins déplorable, désastreuse, navrante.

Les Canadiens français, et la langue française, et l'idée française, et les traditions françaises, et l'idéal français, et les aspirations françaises ont absolument en ce pays les mêmes droits que les Anglo-canadiens, la langue, l'idéal, les traditions et les aspirations anglaises. M. Laurier a manifestement, dans cette lettre, l'intention de ne demander pour nous, de tout ce qui nous est cher au point de vue national, qu'un peu de tolérance. Les écoles séparées de là-bas seront si peu séparées, si peu françaises, que l'enseignement s'y donnera en anglais. C'est au point que M. Laurier, tout en faisant semblant de défendre le principe de l'école séparée, proclame ces écoles *nationales*, c'est-à-dire des institutions se confondant absolument avec les institutions de la majorité anglaise de la Confédération.

Au nom du gros bon sens, de la simple logique élémentaire, où est la *séparation*, au point de vue national, puisque l'anglais est la langue des unes comme des autres ?

*   *   *

Enfin, un mot de l'aspect religieux de la question: il est clair que Sir Wilfrid, comme homme d'Etat catholique, est parfaitement satisfait pour les siens d'écoles pratiquement neutres. Relisez attentivement la description qu'il fait des écoles soi-disant séparées qui existent actuellement là-bas, que son bill se propose de maintenir, que les nôtres doivent accepter et que les protestants sont humblement priés de tolérer: vous verrez que ce sont réellement des écoles *neutres* ou *nationales*, car, dans la pensée de Sir Wilfrid, les deux termes sont synonymes:

Tous les professeurs doivent subir un examen et avoir un certificat du bureau de l'instruction publique; toutes les écoles doivent être soumises à l'inspection d'inspecteurs nommés par le bureau de l'instruction publique; tous les livres en usage dans les écoles doivent avoir été approuvés par le bureau de l'instruction publique; toutes les affaires séculières sont sous le contrôle du bureau de l'instruction publique; tout enseignement doit être donné en langue anglaise; à 3 heures 30 minutes l'instruction religieuse peut être donnée aux enfants suivant certains règlements faits par les commissaires, mais la présence des élèves n'est pas obligatoire.

Trouvez-vous quelque chose à reprendre à cette dernière clause ? Ne croyez-vous pas que ce que vous appelez « Ecoles Séparées » ne sont en réalité que des « Ecoles Nationales » ?

Or, quand il s'agit d'un Etat protestant ou tout au moins neutre, comme dans les nouvelles provinces qu'on organise en ce moment, de telles écoles constituent nécessairement des écoles neutres. L'enseignement de la religion catholique n'occupe pas et ne peut pas occuper la moindre place spéciale ou privilégiée dans de pareilles institutions; c'est visible pour tout le monde, et c'est un titre de gloire que Sir Wilfrid invoque en leur faveur auprès de son ami et correspondant.

Où donc est la *séparation* dans ces écoles, au point de vue religieux ? Elle n'y existe pas plus qu'au point de vue national. Ce sont des institutions neutres, neutres, neutres, — absolument neutres.

La fameuse demi-heure d'enseignement religieux à la fin de la classe ne change pas le caractère essentiellement *national* ou *neutre* de la classe elle-même. M. Laurier le proclame avec insistance, et il a parfaitement raison. [...]

Conclusion. Au point de vue politique et national, la lettre de M. Laurier est une faiblesse lamentable; au point de vue religieux, elle n'est ni plus ni moins qu'hétérodoxe, parce qu'elle est en flagrante contradiction avec l'enseignement formel des papes Pie IX et Léon XIII.

PROBLÈMES DE
MORALITÉ PUBLIQUE

Poète et actrice [1]

Après ses débuts au *Courrier de Saint-Hyacinthe*, Tardivel passe au *Canadien* dirigé par Israël Tarte. Il y donne régulièrement des articles sur la langue et la littérature. Des ultramontains, le journaliste partage les sévérités pour le roman et le théâtre, genres pratiqués par trop d'auteurs qui prêchent le libertinage. Aux actrices qui collaborent à cette œuvre et aux poètes qui les chantent, Tardivel est loin de témoigner de la sympathie. Rappelons aussi ici que Tardivel, rigoriste et conservateur, vit aux antipodes de Fréchette, bon vivant et libéral. Ces lignes montrent l'esprit caustique du journaliste. Celui-ci rappellera plus tard que ses moments passés comme critique littéraire au *Canadien* comptent au nombre des plus beaux souvenirs de sa vie.

Le malheur a voulu que ma main se portât sur un récent numéro de la *Patrie*. Là s'étalent des vers de M. Louis-Honoré Fréchette, notre poète soi-disant national. Cette pièce est adressée à Sarah Bernhardt. Elle est inqualifiable. Je ne pensais pas qu'un homme,

---

1. *Le Canadien*, 27 décembre 1880 (reproduit dans *Mélanges*, I: 273-276.)

fût-il poète, pût s'aplatir de pareille façon devant une actrice. On apprend quelque chose tous les jours. Aujourd'hui je sais qu'il n'y a pas de limites à la bêtise humaine, qu'elle est infinie.

Vous savez, lecteurs, quelle sorte de personne est la nommée Bernhardt. On parle des talents que la Providence lui a donnés, mais fort peu de l'usage qu'elle en fait.

Les acteurs et les actrices ne sont que des amuseurs publics. Dans la vie sociale, ils occupent la même position que le montreur d'ours, le bouffon, l'écuyer de cirque, l'organisateur de ménageries, le joueur de marionnettes, et pas plus qu'eux ils n'ont droit à une ovation. Qu'on les paie en proportion des talents qu'ils prostituent, cela se comprend, puisque nous vivons dans un siècle de décadence, un siècle de matérialisme et de plaisirs; mais qu'on cherche à élever au rang de héros et d'héroïnes des hommes et des femmes qui passent leur vie à jouer des drames où la morale est outragée à chaque ligne, où la vertu est bafouée et le vice glorifié, cela est honteux, dégradant et bête; cela se voit mais ne s'explique pas.

Ces vers ampoulés et plats de M. Fréchette à l'adresse de Sarah Bernhardt remplissent l'âme de dégoût et de tristesse. Lisez plutôt:

Salut, Sarah ! salut charmante dona Sol !
Lorsque ton pied mignon vient fouler notre sol,
    Notre sol tout couvert de givre,
Est-ce un frisson d'orgueil ou d'amour ? je ne sais:
    Mais nous sentons courir dans notre sang français
      Quelque chose qui nous enivre !
    Femme vaillante au cœur saturé d'idéal,
    Puisque tu n'as pas craint notre ciel boréal,
      Ni redouté nos froids sévères,

Merci ! De l'âpre hiver pour longtemps prisonniers,
　　Nous rêvons à ta vue aux rayons printaniers,
　　　　Qui font fleurir les primevères !
Oui, c'est au doux printemps que tu nous fais rêver,
　　Oiseau des pays bleus, lorsque tu viens braver
　　　　L'horreur de nos saisons perfides,
Aux clairs rayonnements d'un chaud soleil de mai,
Nous croyons voir, du fond d'un bosquet parfumé,
　　　　Surgir la reine des sylphides.

Quand on songe que cette « femme vaillante au
cœur saturé d'idéal » s'est décidée à visiter le Canada
uniquement parce que ce voyage devait lui rapporter
tant de mille francs, on est forcé d'admettre que le naïf
enthousiasme de M. Fréchette est aussi risible qu'af-
fligeant; et la comédienne, qui a de l'esprit, dit-on, a
dû rire sous cape de maître Honoré et de son boursou-
flage.

Citons encore deux strophes de cette misère:

Des bords de la Tamise aux bords du Saint-Laurent,
Qu'il soit enfant du peuple ou brille au premier rang,
　　　　Laissant glapir la calomnie,
Tour à tour par ton œuvre et ta grâce enchanté.
　　　Chacun courbe le front devant la majesté
　　　　De ton universel génie !
Salut donc, ô Sarah ! Salut ô dona Sol !
Lorsque ton pied mignon vient fouler notre sol,
　　　Te montrer de l'indifférence
Serait à notre sang [2] nous-mêmes faire affront;
Car l'étoile qui luit la plus belle à ton front,
　　　C'est encore celle de la France !

« Laissant glapir la calomnie ! » Ce vers, venant à
la suite des graves avertissements donnés aux fidèles

---

2. Il ne faut pas oublier que Sarah est « juive ». (Note
de Tardivel)

par Mgr l'évêque de Montréal et son clergé, est tout à fait dans le genre que M. Fréchette cultive davantage.

On dit que le prix Monthyon, qui est accordé aux commençants à titre d'encouragement et pour les engager à mieux faire, produit toujours sur ceux qui le reçoivent un effet funeste: ils se gonflent d'orgueil, se croient de grands hommes, et terminent invariablement leur carrière dans l'insignifiance la plus complète. Certes, ce n'est pas M. Fréchette qui fera exception à la règle.

Malheureusement, M. Fréchette n'est pas le seul de nos compatriotes qui ait fait le fou à l'occasion de la visite de Sarah Bernhardt à Montréal. La *Patrie* m'apprend que « plusieurs journalistes et quelques invités se rendirent à Saint-Albans pour rencontrer Mlle Sarah Bernhardt ». Ces personnes étaient:

L'hon. sénateur Thibaudeau, L.-H. Fréchette, F.-X. Archambault, C.R., B. Brousseau, avocat, G.-W. Parent, J.-E. Robidoux, avocat, Jos. Doutre, C.R., L. Perrault, L.-J. Lajoie, D. Macpherson, William Vial, H. Thomas.

Il est bon qu'on sache leurs noms. Il y avait de plus quelques représentants de la presse, parmi lesquels je regrette de voir le nom d'un journaliste catholique.

Le récit que la *Patrie* fait de ce voyage ultra-sentimental est à faire pouffer de rire. C'est à Saint-Albans que M. Fréchette a donné lecture de l'énormité dont j'ai parlé tout à l'heure. La comédienne, d'après la *Patrie,* aurait répondu à « notre poëte » par la scie suivante:

« Bravo, mille fois bravo, monsieur ! Vos vers sont charmants. Je vais les apprendre pour vous les dire moi-même. »

La *Patrie* rapporte le fait suivant:

« Pendant la sortie de la gare, Mlle Bernhardt qui était au bras de M. Jarrett, se trouva séparée de sa sœur Mlle Jeanne qui était accompagnée par M. Soudan, et les deux sœurs craignirent un moment l'une pour l'autre. Elles se réunirent de nouveau et à l'hôtel où, cédant à l'émotion de la soirée, elles s'embrassèrent en pleurant. »

De prime abord, ça l'air d'une affreuse platitude, mais j'ai entendu expliquer cet incident d'une manière plus naturelle, et, le dirais-je, plus tragique: A la gare Bonaventure, une partie de la foule aurait prodigué à la malheureuse actrice des qualificatifs plutôt mérités que poétiques. De là « l'émotion de la soirée ».

L'attitude des journaux catholiques de Montréal a été singulièrement attristante dans cette circonstance: pas un seul n'a eu le courage de dénoncer carrément la représentation de pièces comme *Adrienne Lecouvreur*. La *Minerve*, la bonne *Minerve*, est allée même jusqu'à publier, en même temps que la lettre de Mgr Fabre, et « avant » cette lettre, une réclame échevelée en faveur de la comédienne !

Toujours à propos de la visite de Sarah Bernhardt à Montréal, voici ce qu'un ami m'a raconté: Plusieurs personnes qui avaient acheté des billets avant l'avertissement du clergé, ont dit qu'elles ne seraient pas allées aux représentations de cette actrice si elles avaient su plus tôt qu'elles étaient répréhensibles; mais « qu'elles ne voulaient pas perdre leur argent ! » Ce raisonnement, a ajouté mon ami, fait penser à la femme qui, ayant acheté trop de remèdes, les prit sans en avoir besoin, « pour ne pas faire de gaspillage ».

De toutes ces folies, il ressort une grande vérité: C'est que la pauvre nature humaine est la même partout, et qu'une actrice sans vergogne crée plus d'enthousiasme que mille sœurs de charité.

Le roman [3]

A l'instar de ses contemporains ultramontains, Tardivel considère le roman comme un genre essentiellement pernicieux. En 1894, il écrit un roman dans un but strictement patriotique et religieux. Dans la préface, il justifie sa démarche.

Le R. P. Caussette, que cite le R. P. Fayollat dans son livre sur l'Apostolat de la Presse, appelle les romans une *invention diabolique*. Je ne suis pas éloigné de croire que le digne religieux a parfaitement raison. Le roman, surtout le roman moderne, et plus particulièrement encore le roman français me paraît être une arme forgée par Satan lui-même pour la destruction du genre humain. Et malgré cette conviction j'écris un roman ! Oui, et je le fais sans scrupule; pour la raison qu'il est permis de s'emparer des machines de guerre de l'ennemi et de les faire servir à battre en brèche les remparts qu'on assiège. C'est même une tactique dont on tire quelque profit sur les champs de bataille.

On ne saurait contester l'influence immense qu'exerce le roman sur la société moderne. Jules Vallès, témoin peu suspect, a dit: « Combien j'en ai vu de ces jeunes gens, dont un passage, lu un matin, a dominé, défait ou refait, perdu ou sauvé l'existence. Balzac, par exemple, comme il a fait travailler les juges et pleurer les mères ! Sous ses pas, que de consciences écrasées ! Combien, parmi nous, se sont perdus, ont

---

3. *Pour la Patrie*, 3-6.

coulé, qui agitaient au-dessus du bourbier où ils allaient mourir une page arrachée à la *Comédie humaine...* Amour, vengeance, passion, crime, tout est copié, tout. Pas une de leurs émotions n'est franche. Le livre est là. » [4]

Le roman est donc, de nos jours, une puissance formidable entre les mains du malfaiteur littéraire. Sans doute, s'il était possible de détruire, de fond en comble, cette terrible invention, il faudrait le faire, pour le bonheur de l'humanité; car les suppôts de Satan le feront toujours servir beaucoup plus à la cause du mal que les amis de Dieu n'en pourront tirer d'avantages pour le bien. La même chose peut se dire, je crois, des journaux. Cependant, il est admis, aujourd'hui, que la presse catholique est une nécessité, même une œuvre pie. C'est que, pour livrer le bon combat, il faut prendre toutes les armes, même celles qu'on arrache à l'ennemi; à la condition, toutefois, qu'on puisse légitimement s'en servir. Il faut s'assurer de la possibilité de manier ces engins sans blesser ses propres troupes. Certaines inventions diaboliques ne sont propres qu'à faire le mal; l'homme le plus saint et le plus habile ne saurait en tirer le moindre bien. L'école neutre, par exemple, ou les sociétés secrètes, ne seront jamais acceptées par l'Eglise comme moyen d'action. Ces choses-là, il ne faut y toucher que pour les détruire; il ne faut les mentionner que pour les flétrir. Mais le roman, toute satanique que peut être son origine, n'entre pas dans cette catégorie. La preuve qu'on peut s'en servir pour le bien, c'est qu'on s'en est servi *ad majorem Dei gloriam.* Je ne parle pas du roman simplement honnête qui procure une heure d'agréable récréation sans déposer dans l'âme des semences funestes; mais du roman qui fortifie la volonté, qui élève

---

4. Citation du Père Fayollat. (Note de Tardivel)

et assainit le cœur, qui fait aimer davantage la vertu et haïr le vice, qui inspire de nobles sentiments, qui est, en un mot, la contre-partie du roman infâme.

Pour moi, le type du roman chrétien de *combat*, si je puis m'exprimer ainsi, c'est ce livre délicieux qu'a fait un père de la Compagnie de Jésus et qui s'intitule: *Le Roman d'un Jésuite*. C'est un vrai roman, dans toute la force du terme, et jamais pourtant Satan n'a été mieux combattu que dans ces pages. J'avoue que c'est la lecture du *Roman d'un Jésuite* qui a fait disparaître chez moi tout doute sur la possibilité de se servir avantageusement, pour la cause catholique, du roman proprement dit. Un ouvrage plus récent, *Jean-Christophe*, qui a également un prêtre pour auteur, n'a fait que confirmer ma conviction. Puisqu'un père jésuite et un curé ont si bien tourné une des armes favorites de Satan contre la Cité du mal, je me crois autorisé à tenter la même aventure. Si je ne réussis pas, il faudra dire que j'ai manqué de l'habileté voulue pour mener l'entreprise à bonne fin; non pas que l'entreprise est impossible.

LES ERREURS MODERNES

Le libéralisme [1]

De passage en Europe en 1888-89, Tardivel complète son information et raffermit ses idées sur les grands problèmes religieux, politiques et sociaux du temps. Les lignes qui suivent, écrites à Londres, une décennie après le célèbre discours de Laurier sur le libéralisme politique du 26 juin 1877, montrent que l'éloquence de l'homme politique n'avait pas réussi à désarmer le journaliste ultramontain.

Avant de quitter la grande métropole, disons un mot du *libéralisme anglais* dont nous entendons souvent parler. Les libéraux canadiens, M. Laurier en tête, nous affirment toujours qu'ils professent uniquement le *libéralisme anglais* qui, d'après eux, est un libéralisme purement politique et parfaitement anodin. Remarquons d'abord, en passant, que plusieurs de nos libéraux canadiens, tout en prétendant ne vouloir pratiquer que le libéralisme anglais, cachent fort mal leur sympathie et leur admiration pour le libéralisme français. Mais voici le point important. Existe-t-il, comme on le prétend, une différence *essentielle* entre le *libéralisme anglais* et les autres *libéralismes* ? Je dis hardiment, non. Au fond, tout libéralisme, qu'il s'appelle anglais, français, italien, belge, espagnol ou canadien, constitue la même erreur. Les différences que l'on constate entre les manifestations du libéralisme en Angleterre et sur

---

1. *Notes de voyage*, 87-89.

le continent proviennent uniquement des circonstances et des milieux; ce sont des différences accidentelles. Pour s'en convaincre, il suffit de réfléchir un instant sur la véritable nature de l'erreur libérale. D'abord, il n'y a pas, à proprement parler, de libéralisme purement politique. Préférer les institutions représentatives à la monarchie, c'est être républicain, non point *libéral*. Garcia Moreno était partisan de la forme républicaine, et cependant personne n'a jamais songé à lui donner le titre de *libéral*. D'un autre côté, le roi le plus absolu qu'il soit possible d'imaginer peut être un *libéral* échevelé. Le *libéralisme* est une erreur *politico-religieuse* qui peut se manifester sous toutes les formes de gouvernement. C'est, en deux mots, la *sécularisation* de la politique, sa *laïcisation*, pour employer un terme nouveau. Le vrai *libéral* veut que toute idée religieuse soit exclue du gouvernement des peuples; que, dans la rédaction des lois et l'administration des affaires publiques, on ne tienne compte d'aucune doctrine positive, d'aucune révélation, mais des seules lumières de la raison humaine. C'est pourquoi le *libéralisme* met tous les cultes sur un pied d'égalité devant la loi. Pour lui, la vraie religion et les sectes sont de simples *opinions particulières* dont l'Etat n'a pas à se préoccuper, en aucune façon, tant qu'elles ne troublent pas ouvertement la paix publique. Voilà le vrai *libéralisme*, qu'il ne faut pas confondre avec le *radicalisme*, c'est-à-dire la haine déclarée de l'Eglise et la persécution légale des catholiques. Sans doute, le libéralisme prépare les voies au radicalisme, mais les deux erreurs sont distinctes.

Or, n'est-il pas facile de voir qu'en Angleterre le libéralisme se propose d'atteindre le même but qu'en France, en Espagne, en Italie, en Belgique ? Ce but, c'est la *sécularisation* de la politique. Dans les pays

catholiques, ce travail se produit contre l'Eglise, ce qui
fait que nous saisissons facilement tout ce qu'il a de
dangereux et de subversif. En Angleterre, il dirige ses
coups contre une secte, qui est la religion de l'Etat,
pour la battre en brèche et mettre toutes les autres
sectes, et même la vraie religion, sur un pied d'égalité
devant la loi. Comme cette action du libéralisme anglais
favorise la liberté et le développement de l'Eglise
catholique en Angleterre, il est permis de l'admirer et
de l'appuyer *relativement*. Si j'étais anglais, je serais
tenté de seconder Gladstone et son parti de toutes mes
forces, non seulement parce qu'ils sont favorables aux
aspirations de l'Irlande, mais parce qu'ils tendent sans
cesse à démolir la suprématie de la secte créée par
l'affreux Henri VIII. Mais quoique les catholiques anglais puissent se servir, *chez eux*, de ce terrible bélier
qu'on nomme le libéralisme, puisqu'il est toujours permis de tirer le bien du mal; il faut néanmoins reconnaître que le libéralisme, en Angleterre, comme le
libéralisme de tous les autres pays, repose sur les faux
principes du *naturalisme* et de la *laïcisation* de la politique. Donc, dire, au Canada, qu'on ne professe que
le *libéralisme anglais*, c'est un non-sens. En réalité, il
n'y a pas plusieurs libéralismes: il n'y en a qu'un seul
qui se manifeste différemment en différents pays.

L'Église catholique aux États-Unis [2]

Les catholiques de tendance libérale présentent
les Etats-Unis comme une terre où le catholicisme
a pu fleurir sans contrainte. C'est contre ces avancés en faveur de la séparation de l'Eglise et de
l'Etat que Tardivel écrit *La Situation Religieuse*

---

2. *La Situation Religieuse aux Etats-Unis*, 269-271.

aux Etats-Unis. La charge contre la civilisation américaine s'achève dans une dénonciation des efforts pour adapter l'Eglise aux temps présents.

J'ai voulu faire parler les faits. Je crois que cela suffit. De longues considérations théoriques, pour finir, me paraissent superflues.

Les faits exposés dans les pages qui précèdent confirment hautement la doctrine de l'Eglise, savoir que le régime du *libéralisme,* du *droit commun,* de *l'Eglise libre dans l'Etat libre,* de la *Séparation de l'Eglise d'avec l'Etat,* n'est pas le régime le plus favorable au développement de la religion.

Si ce régime avait pu donner d'heureux fruits quelque part, c'est bien aux Etats-Unis. Il y a fonctionné en toute liberté pendant plus d'un siècle. Il n'y était gêné par aucune tradition du passé, par aucun vestige d'un autre régime, par aucune tentative de le remplacer. Il a donné la mesure de ce qu'il pouvait produire de plus acceptable. Et le résultat, examiné froidement, sans enthousiasme et sans hostilité systématique, n'est pas brillant.

Quoi que l'on ait dit, la religion catholique n'a pas fleuri sous ce régime. C'est à peine si elle a végété. Car si la vigne du Seigneur, en ces parages, s'est accrue prodigieusement, c'est par une transplantation continuelle et excessive que le phénomène s'est produit. Le sol même a donné un maigre accroissement. Ou plutôt, sans les nouveaux ceps, arrivant chaque année de pays étrangers, la vigne américaine se dégarnirait bientôt.

Les faits exposés nous disent encore autre chose. Ils proclament, une fois de plus, que l'Etat ne saurait rester dans une *indifférence bienveillante* à l'égard de l'Eglise. Là où il ne la défend pas, là où il ne la protège pas, où il ne la soutient pas et ne s'appuie pas sur elle comme sur un fondement très solide, il lui est toujours hostile; tantôt ouvertement et furieusement, tantôt sourdement et hypocritement. Aux Etats-Unis l'hostilité de l'Etat à l'égard de l'Eglise est sourde et hypocrite, parce que l'Eglise s'y fait aussi petite qu'elle peut l'être, sans cesser entièrement d'être militante.

L'Eglise étant d'institution divine appelle ou l'amour ou la haine. La véritable indifférence est aussi impossible à son égard qu'à l'égard de JESUS-CHRIST lui-même. Là où l'Etat ne remplit pas le rôle d'Evêque du dehors, il est forcément amené à celui de persécuteur. Lorsque Constantin disparaît, c'est Julien qui le remplace.

Nous avons vu que l'Eglise d'Amérique, comme le peuple américain, est seulement en voie de formation; qu'elle n'est pas américaine comme l'Eglise de France est française; qu'il faut, par conséquent, tenir compte du problème des nationalités qui complique la situation et qui pourrait facilement devenir une source de troubles profonds, si l'on tentait de le résoudre par l'*américanisation* des divers éléments.

Enfin, ce qui se passe aux Etats-Unis nous montre clairement que l'on n'a pas découvert en Amérique un moyen plus facile de se sauver et de sauver les autres. Ceux qui, dans ce pays, ont accompli les œuvres de DIEU, ont employé les vieux procédés que les Apôtres mêmes nous ont transmis. Pour se sanctifier, là-bas comme ailleurs, il faut prier, se mortifier et vaincre la chair de toutes manières. Ce que l'on a pris pour des vertus *actives* ne sont que des qualités naturelles, ou même des défauts, incapables d'élever l'homme à sa fin surnaturelle.

Les évêques et les prêtres qui ont opéré des pro-
diges en Amérique, venus presque tous de l'Europe,
ont suivi les méthodes de l'ancien temps, les méthodes
des saints de tous les siècles et de tous les pays. Ils
étaient animés de l'esprit apostolique, non point de
l'esprit moderne. Ils prêchaient JÉSUS-CHRIST cruci-
fié et ne s'entretenaient guère de *progrès* et de *liberté*
avec les reporters des journaux profanes. L'Evangile,
et non la politique, était leur arme de combat. En un
mot, ils savaient et enseignaient que de nos jours, comme autrefois, on arrive au ciel par le Chemin de la
Croix, et non pas en chemin de fer.

La franc-maçonnerie [3]

> L'influence et la puissance de la franc-maçonnerie
> obsèdent bien des esprits dans la deuxième moitié
> du XIXe siècle. On rend volontiers responsable
> cette société secrète de tous les malheurs du temps,
> dans les milieux ultramontains. Le Canada, où la
> franc-maçonnerie fleurit chez les protestants,
> n'échappe pas aux dénonciations. L'Encyclique
> *Humanum Genus* de Léon XIII fournit l'occasion
> à Tardivel de dénoncer les erreurs modernes et de
> les rattacher à une source bien définie.

On dirait vraiment, à lire certains journaux et à
entendre parler certains *savants*, que la province de
Québec est une contrée à part, un pays en dehors du
monde, une véritable citadelle où les erreurs qui dé-
vastent le reste du globe ne pourront jamais pénétrer.

N'est-ce pas là une imprudente légèreté ?

---

3. *La Vérité*, 28 juin et 5 juillet 1884. (Reproduit dans
Mélanges 3: 226-231.)

Tandis que certaine école au Canada cherche à faire croire, malgré l'évidence des faits, que le mal maçonnique diminue toujours parmi nous, Léon XIII déclare que « dans l'espace d'un siècle et demi, la secte des francs-maçons a fait d'incroyables progrès », qu'elle « a envahi tous les rangs de la hiérarchie sociale et commencé à prendre au sein des Etats modernes une puissance qui équivaut presque à la souveraineté ».

Le Pape s'adresse, dans cette encyclique, qu'on ne l'oublie pas, au monde entier, et non pas à tel ou tel pays de l'Europe. Placé sur la montagne, il embrasse de son regard éclairé par l'Esprit-Saint l'immense troupeau confié à sa garde. Il signale les dangers qui menacent ce troupeau, les eaux impures, les pâturages empoisonnés qui l'attirent. Et certaines brebis, se croyant plus avisées que le Pasteur, prétendent que ces avertissements ne les regardent pas !

Imprudente légèreté, en vérité, pour ne pas dire coupable indifférence !

Dans ses précédentes encycliques, Léon XIII avait combattu et condamné les principales erreurs sociales et politiques que propage la franc-maçonnerie; dans cette dernière, il attaque la secte elle-même. Il met en lumière un fait important qu'on oublie trop souvent en parlant de la franc-maçonnerie. D'ordinaire on ne tient pas assez compte des sociétés secrètes qui portent un autre nom. Pourtant le Saint-Père nous dit que ces sociétés sont les « coopératrices et les satellites de la franc-maçonnerie »; que toutes ces sociétés, « bien qu'elles diffèrent les unes des autres par le nom, les rites, la forme, l'origine, se ressemblent et conviennent entre elles par l'analogie du but et des principes essentiels ». Et Sa Sainteté ajoute qu' « en fait, elles sont identiques à la franc-maçonnerie qui est pour toutes les autres comme le point central d'où elles procèdent et où elles aboutissent. »

Ces paroles s'appliquent avec une force toute particulière à l'Amérique du Nord, le Canada compris, car, chacun le sait, sur ce continent le mal affecte des formes très variées. C'est ainsi que nous avons, à part la franc-maçonnerie, les *Odd fellows,* les *Knights of Pythias,* les *Templiers,* les *Forestiers,* les *Fils de la Tempérance,* les *Orangistes,* et beaucoup d'autres dont les noms nous échappent en ce moment. Il y a, de plus, un grand nombre d'associations d'ouvriers qui sont de véritables sociétés secrètes. Nous avons publié, il y a quelque temps, le serment que prêtent les membres de la fraternité des mécaniciens de locomotives, véritable serment de société secrète.

Toutes ces organisations sont de puissantes armes entre les mains de la franc-maçonnerie qui s'en sert avec d'autant plus d'efficacité que les peuples sont moins sur leurs gardes. En faisant voir la solidarité qui existe entre toutes ces sociétés et la franc-maçonnerie, Léon XIII a donc rendu un immense service à ceux qui veulent sincèrement le bien.

Il est impossible de se tromper aujourd'hui sur ce point essentiel: toutes ces sociétés, aux noms fantastiques, sont de véritables œuvres maçonniques. Elles sont à l'église de Satan ce que les ordres religieux, les congrégations, les confréries sont à l'Eglise de Dieu. [...]

Combien de catholiques se laissent tromper par les ruses maçonniques et tombent dans les pièges habilement dressés par la secte sur le terrain des lettres, de la science et de la *philanthropie* !

Parmi ces ruses et ces pièges il convient de signaler ces sociétés *savantes* dans lesquelles on admet juifs, chrétiens, païens, libres-penseurs et athées, et où l'on fait de la *science* sans tenir aucun compte des vérités révélées. Pourtant des journaux canadiens soi-disant catholiques prônent hautement ces congrès prétendus scientifiques, qui ne sont au fond qu'un moyen de propagande maçonnique.

Il y a encore les œuvres et les institutions *humanitaires* dont le but est de remplacer la charité chrétienne par la philanthropie païenne. Telle est, par exemple, cette fameuse Association protectrice des femmes et des enfants, de Montréal, patronnée chaleureusement par la *Minerve*.

En effet, à quoi tendent tous les efforts des francs-maçons ? Léon XIII nous le dit avec une admirable précision: « Il s'agit pour les francs-maçons de détruire de fond en comble toute la discipline religieuse qui est née des institutions chrétiennes et de lui en substituer une nouvelle, façonnée à leurs idées et dont les principes fondamentaux et les lois sont empruntés au naturalisme. »

De là ce travail incessant en vue d'éliminer de la politique, c'est-à-dire du gouvernement des peuples, toute idée religieuse; de là ces efforts constants pour *séculariser* l'éducation et la mettre entièrement sous le contrôle de l'Etat; de là ces institutions de tout genre d'où la vérité religieuse est rigoureusement exclue. Nier l'existence au Canada d'un courant qui nous entraîne vers la politique sans Dieu, vers l'éducation sans Dieu, vers la science sans Dieu, vers la *morale* sans Dieu, c'est nier que le soleil nous éclaire.

L'esprit athée de la République américaine [4]

Américain de naissance, ayant vécu jusqu'à 17 ans aux Etats-Unis où il retourne à plusieurs reprises et dont il lit régulièrement la presse, Tardivel est loin de manifester de la sympathie pour sa mère-patrie. C'est dans la vallée du Saint-Laurent, terre catholique par excellence, qu'il a trouvé son lieu naturel. Son horreur du régime de la séparation de l'Eglise et de l'Etat qui prévaut aux Etats-Unis le pousse à rechercher les sources de cet « esprit athée » dans la Déclaration d'Indépendance.

L'esprit de la Révolution américaine ne diffère guère, quoi qu'on en ait dit, de l'esprit de la Révolution française. Dans la Déclaration d'Indépendance du 4 juillet 1776, on trouve, il est vrai, le *nom* de DIEU, du « DIEU de la nature » et du « Créateur »; mais il n'y est question que des *droits* de l'homme. Des droits de DIEU et des devoirs de l'homme, il n'y est pas plus fait mention qu'il n'en est question dans les « immortels principes de 89 ». Il y est dit, par exemple, que « tous les hommes sont créés égaux ». C'est une parole équivoque. Les hommes sont créés égaux dans ce sens que tous sont composés d'une âme et d'un corps, que tous sont mortels, que tous ont la même fin surnaturelle à laquelle ils ne peuvent parvenir que par la même aide d'En-Haut, la pratique des mêmes vertus, l'éloignement des mêmes péchés. Mais ce n'est pas dans ce sens métaphysique que les Révolutionnaires, tant américains que français, entendent l'égalité. Ils parlent de l'égalité sociale et politique. Or cette égalité n'a jamais existé, n'existera jamais, ne peut pas exister. Il n'y a peut-être pas deux hommes « créés égaux » dans ce sens; il n'y a pas deux hommes qui possèdent exacte-

4. *La Situation Religieuse aux Etats-Unis*, 127-130.

ment les mêmes qualités intellectuelles, les mêmes apti-
tudes, les mêmes dons physiques. Tous ne sont pas
appelés aux mêmes rôles dans la société. Le fils est-il
« créé égal » à son père ? L'imbécile, le *minus habens*,
est-il l'égal, socialement et politiquement parlant, de
l'homme d'étude et de génie ?

Cette prétendue égalité révolutionnaire est donc un
mensonge. Et nulle part au monde le mensonge de
cette soi-disant égalité n'éclate plus brutalement qu'aux
Etats-Unis. Nulle part ailleurs, si ce n'est peut-être en
Angleterre depuis que le protestantisme y a introduit
le paupérisme, on ne voit des fortunes plus insolentes
à côté de misères plus abjectes. Le pays des milliar-
daires, des Vanderbilt et des Rockefeller, est aussi le
pays par excellence des chemineaux, des *tramps* dont
le nombre toujours croissant devient un grave problème
social et un sujet d'inquiétude pour l'avenir.

La Déclaration d'Indépendance contient un principe
essentiellement faux et subversif. « Les gouvernements
reçoivent leurs pouvoirs légitimes du consentement des
gouvernés. *Deriving their just powers from the consent
of the governed.* » Les auteurs de la République américaine attribuèrent donc formellement une origine
humaine au pouvoir civil. L'Eglise, parlant par la bou-
che de Léon XIII, dans l'encyclique *Diuturnum*, déclare « qu'il faut chercher en DIEU la source du pouvoir dans l'Etat ».

De plus, la Déclaration d'Indépendance proclame
le droit à la révolte contre le pouvoir légitimement
établi, pour des causes purement politiques, pour des
actes de mauvaise administration; car la liste des griefs
contre Georges III ne contient rien de plus. Or, Léon
XIII enseigne dans la même encyclique « qu'il n'existe
qu'une seule raison valable de refuser l'obéissance: c'est
le cas d'un précepte manifestement contraire au droit
naturel ou divin ».

Du reste, les catholiques américains ne craignent pas aujourd'hui de proclamer, comme un titre de gloire, l'origine humaine de leur République. Le *Catholic Telegraph*, de Cincinnati, en date du 8 septembre 1898, publiait le compte rendu d'un discours prononcé par l'abbé Stafford, de l'Université catholique de Washington, à l'occasion du retour des soldats américains après la guerre cubaine. Ce prêtre catholique s'est exprimé ainsi:

« La fondation de la République américaine est, sans une seule exception, l'acte le plus important que mentionne l'histoire civile du monde. C'est un acte de la plus sublime confiance dans l'homme. D'autres avaient fondé des Etats sur le prestige, sur des droits acquis, sur des traditions, sur des systèmes de gouvernement. Ici, pour la première fois, une nation fut fondée sur l'homme. »

Il serait impossible, je crois, de reconnaître plus clairement l'origine purement humaine de la République. Elle ne fut pas fondée par l'homme sur DIEU; elle fut fondée par l'homme sur l'homme — *was built upon man*. C'est une origine uniquement et absolument naturaliste, c'est-à-dire maçonnique; et l'on peut dire, en toute vérité, que, au contraire de la France, qui est la fille aînée de l'Eglise, la première nation fondée sur le droit chrétien, la République de Washington est la fille aînée de la franc-maçonnerie, la première nation établie sur les principes du naturalisme maçonnique [5].

---

5. Il est avéré que Washington lui-même avait été initié à la franc-maçonnerie, et que les principaux fauteurs de la guerre de l'Indépendance étaient également francs-maçons. M. Stanley Richmond a dressé naguère une liste des Américains célèbres qui ont appartenu à la secte maçonnique. D'après lui, tous les signataires de la Déclaration d'Indépendance, moins quatre, étaient francs-maçons. — Cf. *L'Indépendance* de Fall-River, 12 janvier 1899. (Note de Tardivel)

Pour plusieurs, l'affirmation que la République américaine, dans son esprit gouvernemental, est aussi vraiment athée que le gouvernement le plus athée de l'Europe, paraîtra grandement exagérée. Cependant c'est l'exacte vérité...

L'instruction gratuite et obligatoire [6]

> La franc-maçonnerie reste aux yeux de Tardivel durant toute sa carrière la grande inspiratrice du progrès moderne diamétralement opposé à l'idéal du Christianisme. A ses contradicteurs qui l'accusent d'étiqueter trop facilement de maçonniques des hommes ou des idées, Tardivel répond par une distinction entre les œuvres et les manœuvres de la secte. Il illustre son explication par un exposé de ses idées sur l'école gratuite et obligatoire.

Les *opinions maçonniques* flottent dans l'air: on les respire en allant à l'église, pour entendre la messe, tout aussi bien qu'en se rendant à la loge pour l'élection du vénérable. L'opinion qui veut que l'instruction gratuite et obligatoire soit une panacée est une de ces idées, et beaucoup la professent tout en ayant horreur de la franc-maçonnerie.

Vouloir établir dans un pays, tout d'abord, l'instruction gratuite et obligatoire, n'est pas une *œuvre* proprement maçonnique, puisque, dirons-nous, cela ne comporte pas la haine de Dieu et de l'Eglise; mais c'est certainement une *manœuvre* de la secte.

C'est ainsi que les francs-maçons ont procédé en France — avec quel succès on le sait — pour arriver à l'abominable état de choses qui existe actuellement dans notre ancienne mère-patrie.

---

6. *La Vérité*, 11 février 1905.

Nous ajouterons que c'est par le même procédé qu'on a réussi, aux Etats-Unis, à rendre l'école publique une école neutre ou athée.

Les sectaires chez nos voisins, comme en France, ont commencé par donner à l'Etat le monopole de l'*instruction publique*, ruinant ainsi toute initiative privée; puis, ils ont dit: « Puisque c'est l'Etat qui *paie* les frais de l'instruction de tous les citoyens, il faut que cette instruction convienne à tout le monde. Or, dans un pays de croyances mixtes, seule l'école neutre peut être acceptée de tous. » C'est ainsi que la *manœuvre* de l'école gratuite et obligatoire conduit tout droit et nécessairement à l'*œuvre* maçonnique de l'école sans Dieu. L'enseignement gratuit et obligatoire ne pourrait être toléré que dans un pays jouissant de l'unité religieuse, où il serait possible d'avoir un enseignement moral convenant à tous les pères de famille.

Ajoutons encore qu'il est facile de se convaincre que les francs-maçons d'Angleterre ont adopté la même *manœuvre*: arriver à l'école neutre par l'école de l'Etat, c'est-à-dire par l'école soi-disant *gratuite*.

Complétons ces observations par un mot sur l'absurdité de la soi-disant gratuité de l'instruction, lorsqu'il s'agit d'instruction donnée par le pouvoir civil.

Que l'Eglise puisse dire que c'est Elle qui, la première, a rendu l'instruction gratuite, cela se comprend, puisque aux âges de foi, lorsqu'elle dirigeait la société, ses religieux se consacraient d'une manière vraiment gratuite à l'instruction et à l'éducation du peuple, petit et grand.

Mais aujourd'hui que l'Etat s'est substitué à l'Eglise dans les choses de l'enseignement, parler de gratuité, c'est parler pour ne rien dire, ou plutôt pour énoncer une sottise. Tout le monde sait, en effet, que les services rendus par l'Etat sont précisément ceux qui coûtent le plus cher aux contribuables. Que Jean-Baptiste solde les frais de l'école en mettant la main directement dans sa poche, ou que ces frais proviennent des impôts perçus par l'Etat, c'est toujours Jean-Baptiste qui paie. Par conséquent, la *gratuité* de l'école moderne est un leurre, une piperie.

Quant à l'obligation, sur quel principe de saine philosophie peut-on l'appuyer ? Les écrivains les plus conservateurs admettent, il est vrai, le droit de l'Etat d'intervenir dans les cas d'abus flagrant. Voici, par exemple, un père de famille qui, au vu et au su de tout le monde, laisse croupir ses enfants dans une ignorance crasse de leurs devoirs envers Dieu et envers leurs semblables. Personne ne niera à l'autorité civile le droit, ou plutôt le devoir, de faire donner à ces enfants de parents dénaturés l'éducation qu'il leur faut pour atteindre leur fin, au moins naturelle: devenir de bons citoyens.

De même l'Etat possède incontestablement le droit d'intervenir pour protéger les enfants que des parents inhumains, par négligence ou cruauté, laisseraient mourir de faim ou périr de froid. Mais tous ces cas sont et seront toujours nécessairement l'infime exception. Or, l'Etat ne saurait être autorisé à voter des lois générales pour corriger quelques abus isolés.

Il y a donc un abîme, que la raison et le raisonnement ne sauraient franchir, entre ce droit de l'Etat, reconnu par tout le monde, de corriger les abus flagrants de la négligence domestique, et le prétendu droit que les statolâtres attribuent au pouvoir civil d'imposer à tous les parents, indistinctement, l'obligation de donner à leurs enfants une certaine somme d'instruction profane.

Et d'abord, jusqu'à quel point l'obligation que l'Etat prétend imposer à tout citoyen doit-elle s'étendre ? Doit-elle s'arrêter à ce que les Anglais appellent les trois R., à l'enseignement le plus élémentaire, c'est-à-dire à la lecture, à l'écriture, au calcul simple ?

Ou bien, s'étendra-t-elle jusqu'à l'instruction académique des *High Schools,* comme on le pratique largement aujourd'hui chez nos voisins, grâce à la soi-disant gratuité ?

Puis, comment l'Etat constatera-t-il que la prétendue obligation des parents de donner à leurs enfants une certaine instruction a été réellement remplie ? Serait-ce par des examens généraux, s'appliquant à tous les enfants du pays ? Ou encore en exigeant un certificat d'assistance à l'école pendant tant de jours par année, fixera-t-on le minimum de l'assistance ? Puis, les parents qui jugeront à propos de faire instruire leurs enfants chez eux, qu'en fera-t-on ? Et les enfants maladifs ? Comme on le voit, l'application de l'instruction obligatoire offre, dans la pratique, mille difficultés inextricables.

Oui, vraiment, l'instruction gratuite et obligatoire, sans être précisément une *œuvre* maçonnique, puisque beaucoup de catholiques la favorisent, est certainement une *manœuvre* chère à la franc-maçonnerie. Elle crée en effet une ambiance, laquelle, à un moment donné, fait éclore l'école neutre, l'école d'où Dieu et la religion sont bannis; ce qui est l'œuvre par excellence de la secte.

OUTRE-MER À LA
DÉCOUVERTE DE SOI

Paris et Londres [1]

Méfiant à l'égard d'une France à ses yeux gangrenée par l'impiété et dont Paris constitue le foyer de tous les maux, d'un tempérament nettement plus britannique que français, Tardivel esquisse un mouvement de recul devant la « Ville Lumière ». Ses observations mille fois confirmées ou infirmées par les touristes canadiens en Europe n'ont pas fini de faire discuter.

J'ai terminé ma dernière lettre par une phrase qui a dû paraître singulière à quelques-uns. Je disais que je me trouvais beaucoup plus dépaysé à Paris qu'à Londres. C'était la première impression. Aujourd'hui, elle s'est changée en conviction bien arrêtée.

D'abord je me disais: c'est parce que je suis à moitié anglais; c'est parce que ma première éducation a été tout anglaise. Puis, j'ai vu que ce n'était pas là la véritable cause de mon ennui. Car, après tout, me suis-je dit, voilà vingt ans et plus que je demeure au Canada. Je me suis entièrement identifié avec l'élément canadien-français; ma manière de vivre, de penser, de sentir est tout à fait semblable à celle de mes

1. *Notes de voyages*, 111-113.

amis canadiens-français. Comment donc se fait-il que
je me trouve comme un poisson hors de l'eau, à Paris,
tandis qu'à Londres j'étais chez moi au bout de quelques heures ? Serait-ce parce que les Canadiens français, sans le soupçonner le moins du monde, sont
beaucoup plus anglais que français ? Mais une pensée
semblable n'est-elle pas extravagante ? Aurais-je la
berlue, par hasard ?

Je faisais ces réflexions, tout en parcourant les rues
de Paris, ce matin, lorsque, tout à coup, je me suis
trouvé en face de M. Hector Fabre. Il est connu que
M. Fabre et moi sommes aux antipodes, quant aux
idées; mais nos relations ont toujours été très cour-
toises. Aussi, nous mettons-nous à causer de choses
et autres. La conversation tombe précisément sur le
sujet qui faisait tout à l'heure l'objet de mes médita-
tions; et, à mon grand étonnement, M. Fabre expri-
me exactement la pensée que j'étais tenté de repousser comme inacceptable: les Canadiens français sont
plus anglais que français par les coutumes, par les
habitudes, par ces mille petits détails, insignifiants pris
séparément, mais qui, réunis, forment sinon le caractère national, du moins la vie extérieure d'un peuple.
Nous avons conservé la Foi de nos ancêtres et leur
langue; au fond du cœur nous sommes Français, Français du bon vieux temps, mais à la surface nous nous
sommes laissé entamer par le contact des Anglais.
Combien de Canadiens, me dit M. Fabre, m'ont dé-
claré, comme vous, qu'ils se trouvent beaucoup plus
chez eux à Londres qu'ici.

Alors, j'ai constaté que je n'avais pas la berlue,
mais que j'étais tombé sur la véritable solution d'un
problème qui m'intriguait depuis vingt-quatre heures.

Ici, à part la langue qui est bien la même qu'au
Canada, tout est étrange et nouveau pour moi; la dis-

position des maisons, le boire et le manger, la manière de se présenter chez quelqu'un, mille petites choses, souvent presque insaisissables.

Pour un Canadien français, Paris est un monde inconnu; tandis que Londres, c'est tout bonnement la ville de Montréal multipliée par vingt. Je vois cela maintenant, très clairement [2].

Rome [3]

Pour Tardivel comme pour son maître Veuillot, Rome c'est la ville par excellence. Le journaliste québécois éprouve des sentiments ineffables dans la cité qui a vu les origines et le triomphe du Christianisme et qui apparaît plus que jamais comme le centre d'attraction de la catholicité. On comprend à la lecture de ces lignes la place de la Ville Eternelle, occupée depuis 1870 par le gouvernement italien, dans les préoccupations des contemporains de Tardivel.

Voilà deux semaines que je suis à Rome, et je n'ai pas encore osé entreprendre d'écrire la moindre *Note de voyage*. Pourtant, ce ne sont pas les sujets qui manquent. Loin de là, ils abondent tellement que l'on ne sait trop par où commencer. Mais ce n'est pas l'abondance des sujets qui m'embarrasse davantage. Ce

2. En lisant cette appréciation de Paris dans la *Vérité*, plusieurs de mes amis se sont récriés. Je ne l'efface pas, cependant; je me contente de l'adoucir un peu; car un séjour plus prolongé dans la grande ville n'a fait que me confirmer dans mes premières impressions défavorables. Je dois toutefois faire remarquer qu'il faut distinguer entre les Parisiens et les Français, entre Paris et la France. La mère-patrie des Canadiens, c'est la France, ce n'est pas Paris. (Note de Tardivel)

3. *Notes de voyage*, 333-334.

qui paralyse ma plume, c'est le sentiment de mon incapacité absolue, radicale, d'écrire sur Rome d'une manière tant soit peu convenable. Il faut cependant que je balbutie quelque chose...

Louis Veuillot commence son *Parfum de Rome* par ces mots: « Rome ! nom de mystère. Dès que ce nom s'est élevé sur les nations, nulle voix ne l'a prononcé sans haine ou sans amour, et l'on ne sait qui l'a emporté de l'ardeur de la haine ou de l'ardeur de l'amour. » Lorsque j'ai lu ces paroles pour la première fois, avant d'avoir vu Rome, je ne les comprenais guère, je l'avoue; elles n'offraient à mon esprit qu'un sens très vague. Aujourd'hui, elles sont d'une clarté parfaite. Oui, Rome est bien la ville mystérieuse dont on ne saurait prononcer le nom avec calme. Il est très facile de parler de Londres, de Paris, de Bruxelles, de Berlin, de Madrid, de toutes les capitales du monde, sans la moindre émotion. Mais à Rome, un saisissement indéfinissable s'empare de l'esprit; dans l'âme surgissent des pensées qu'aucun langage ne saurait rendre. C'est que Rome est véritablement le centre du monde et qu'elle l'a toujours été depuis plus de deux mille ans. Depuis plus de deux mille ans, le genre humain tout entier tient les yeux attachés sur Rome; il les y tiendra attachés jusqu'à la consommation des siècles. De quelle autre ville peut-on dire autant ?

Je n'ai pas eu l'avantage de voir Rome sous le gouvernement légitime des papes. Ceux qui ont eu cet honneur, et qui la voient aujourd'hui, gémissent et disent que ce n'est plus la même ville. Louis Veuillot, sans doute, ne reconnaîtrait guère la Rome dont il nous a donné l'exquis *parfum*. Pour moi, voyant Rome pour la première fois pendant qu'elle est aux mains de la révolution, je ne puis pas me rendre compte des beautés de la ville telle que d'autres l'ont vue. Mais ce que je vois, c'est que Rome, malgré toutes les profanations sacrilèges des dix-huit dernières années, malgré tous les efforts que l'on a faits pour en faire simplement la capitale d'un pays, Rome est restée la capitale du monde catholique. On a eu beau détruire et reconstruire, on a eu beau percer de nouvelles rues, fonder de nouveaux quartiers, « moderniser » de toutes manières, on n'a pas encore réussi à enlever à notre cité le cachet que dix-neuf siècles de christianisme y ont imprimé. Les flots impurs de la révolution peuvent passer et repasser sur Rome, ils ne l'empêcheront pas d'exhaler toujours la bonne odeur que le sang des martyrs et les vertus des saints y ont déposée.

TABLE DES MATIÈRES

*Achevé d'imprimer sur les presses des Éditions Fides,
à Montréal le huitième jour du mois d'août
de l'an mil neuf cent soixante-neuf.*

Dépôt légal — 3e trimestre 1969
Bibliothèque nationale du Québec